Les maux d'Ambroise Bukowski

Les éditions de la courte échelle inc.
160, rue Saint-Viateur Est, bureau 404
Montréal (Québec) H2T 1A8

Traduction : Rachel Martinez
Révision : Mélanie Roussety-Guégan

Dépôt légal, 1er trimestre 2013 Bibliothèque nationale du
Québec Copyright © 2013 Les éditions de la courte échelle
inc. La courte échelle reconnaît l'aide financière du gouvernement du Canada par l'entremise du Fonds du livre du
Canada pour ses activités d'édition. La courte échelle est aussi
inscrite au programme de subvention globale du Conseil des
arts du Canada et reçoit l'appui du gouvernement du Québec
par l'intermédiaire de la SODEC. La courte échelle bénéficie
également du Programme de crédit d'impôt pour l'édition de
livres – Gestion SODEC – du gouvernement du Québec.

**Catalogage avant publication de Bibliothèque et Archives
nationales du Québec et Bibliothèque et Archives Canada**
Nielsen, Susin, 1964-
[Word nerd. Français]
Les maux d'Ambroise Bukowski
Traduction de : Word nerd.
Pour les jeunes de 13 ans et plus.
ISBN 978-2-89695-468-1
I. Martinez, Rachel. II. Titre.
III. Titre : Word nerd. Français.
PS8577.I37W6714 2013   jC813'.54   C2012-942517-6
PS9577.I37W6714 2013
Imprimé au Canada sur les presses de l'imprimerie Gauvin

Susin Nielsen

Les maux d'Ambroise Bukowski

Traduit de l'anglais par Rachel Martinez

la courte échelle

À ma maman, Eleanor Nielsen,
pour son amour inconditionnel
et parce qu'elle est la seule personne
que je peux toujours battre au scrabble.

1

lire, aller, râler, grille, geai, grêle, aigre, raie, régla, agile

ALLERGI(E)

Le jour où j'ai failli mourir, le ciel était magnifiquement bleu. C'était agréable après la pluie du début de la semaine. Quelques nuages s'accrochaient encore aux montagnes du North Shore, mais ils étaient loin.

Je mangeais assis à une table à pique-nique dans la cour de l'école malgré le temps plutôt frais — on était à la mi-octobre. Je préférais toutefois me tenir loin de la salle de repas bruyante et surpeuplée, et même dangereuse pour moi quand les autres élèves cherchaient à me faire trébucher. On se sent parfois plus seul au milieu des gens qu'au milieu de nulle part.

Je mastiquais une bouchée de mon sandwich en contemplant mes chaussures de sport flambant neuves. Seul un œil très aiguisé aurait su déceler que ce n'était pas une paire de vraies Reebok. Maman ne pourrait jamais m'en offrir, mais j'avais déniché cette copie pratiquement identique pour le quart du prix dans un magasin du quartier chinois, où elle m'avait emmené le samedi précédent.

Ils étaient beaux, mes nouveaux souliers, vraiment beaux, d'un blanc éclatant avec deux traits bleu marine sur le côté et des lacets assortis. En y repensant bien, je n'aurais pas dû porter mes chaussettes orange fluo ce matin-là, mais ce n'était quand même pas si mal. J'en oubliais presque mon pantalon trop court.

Comme le radotait maman, elle n'était pas faite en argent. Je devrais attendre longtemps avant qu'elle puisse m'en acheter des neufs.

Troy, Mike et Josh jouaient au soccer sur le terrain plus loin. Je me suis demandé si je devais me joindre à eux, mais la dernière fois, j'avais dû garder le but. Ils m'avaient botté le ballon à la tête à répétition jusqu'à ce que j'aie un mal de bloc. Alors, cette fois, j'ai décidé de ne pas les approcher.

La chaleur du soleil était agréable. J'ai fermé les paupières. En sentant les rayons caresser mon visage, je les imaginais en train de pulvériser les points noirs sur mon nez.

Puis le soleil a disparu et quelque chose m'a atteint avec force. En ouvrant les yeux, j'ai vu le ballon de soccer rouler devant moi, puis trois énormes paires de Nike.

J'ai levé la tête. Troy, Mike et Josh me regardaient de haut en me cachant le soleil.

— Oups, a dit Troy.

Large comme un tronc d'arbre, il dépassait les deux autres d'une bonne tête. Ses épais cheveux noirs étaient coupés très court et ses yeux étaient trop petits pour son visage.

— Pas de problème, c'est un accident, ai-je répondu, même si les accidents impliquant leur ballon et mon crâne survenaient au moins trois fois par semaine.

— Qu'est-ce que tu manges, Jamboise ? m'a demandé Mike.

Certains diraient qu'il était trapu, moi je le trouvais plutôt gros. Il avait les cheveux bruns frisés et affichait en permanence une mine renfrognée. Comme il portait ses jeans beaucoup plus bas que la taille, on voyait une bonne dizaine de centimètres de caleçon. Il avait l'air nouille, selon moi, mais j'ai compris que sa tenue était censée lui donner une allure décontractée.

— Ambroise, mon nom. J'ai un sandwich au fromage, des carottes, une pomme...

— Ton lunch est dégueu, a commenté Mike.

J'ai ri d'un rire qui ressemblait au hennissement d'un cheval parce que, je dois l'avouer, je me forçais un peu :

— Ouais, ma mère est forte sur la nutrition...

— Hé, Fendant-broise, c'est vrai que tu es allergique aux arachides ? m'a interrompu Troy.

— Ambroise, mon nom. Ouais, c'est vrai.

— C'est fou quand même. J'étudie ici depuis environ six ans et pendant six ans, j'ai mangé des sandwiches au beurre de pinottes le midi. Puis toi, tu arrives et tout à coup, notre école est déclarée « zone sans arachides ».

— Ouais, ma mère est pas mal obstinée. As-tu déjà goûté au beurre d'amandes ? Ce n'est pas un mauvais substitut...

— Regardez-moi ses souliers ! s'est exclamé Josh.

Il était le plus petit et le plus maigre des trois, mais fort, nerveux et voyou. Ses cheveux étaient vaguement coupés à la Mohawk. Je ne sais trop pourquoi, mais c'est lui qui m'effrayait le plus.

Troy et Mike ont regardé mes pieds.

— Beurk, a dit Troy.

— Pas Beurk, Reebœrk, ai-je expliqué. Comme Reebok, mais avec « œr » à la place du « o ».

Troy a hoché la tête :

— Tu es vraiment bizarre.

La joie que j'avais à porter mes nouveaux souliers commençait à s'évanouir.

— Ferme les yeux, m'a ordonné Josh.

— Pour quoi faire ?

— Parce que je le veux.

J'étais un peu nerveux, car la dernière fois qu'il m'avait demandé ça, il en avait profité pour me mettre un corbeau mort sur les genoux.

Il est très difficile de refuser quoi que ce soit aux Trois Gros Cochons. Je les appelais comme ça (mais toujours en silence parce que je tiens à la vie), car j'avais découvert les « Trois petits cochons » il y a quelques années, lors d'un festival Disney où ma mère m'avait emmené et où l'on avait regardé de vieux films pendant presque quatre heures sans arrêt. Troy était Nouf-Nouf, le chef de la bande, Mike était Nif-Nif et Josh était Naf-Naf.

Mais ça n'avait pas vraiment de bon sens parce que les Trois petits cochons sont amusants. Troy, Mike et Josh ne l'étaient pas pour deux sous.

Alors j'ai fait ce qu'il m'a demandé. J'ai fermé les yeux et pour passer le temps, j'ai mélangé mentalement les lettres T, R, O, I, S, G, R, O, S, C, O, C, H, O, N et S pour former de nouveaux mots. J'avais trouvé *crocs, pissons, piste, triste* et *soins,* et je venais de découvrir *groins* lorsque Josh a annoncé :

— C'est bon, tu peux ouvrir les yeux.

J'ai obéi. Il n'y avait rien sur mes genoux. Je me suis tâté les cheveux. Rien non plus : ni ver ni crachat. Je leur ai demandé :

— Qu'est-ce que vous avez fait, les gars ?

Troy s'est contenté de me tapoter le dos, un peu trop énergiquement à mon goût :

— À plus tard, Sandwich-au-jamboise.

— Ambroise, mon nom. Je vous verrai au cours de maths.

J'ai pris une bouchée de mon sandwich en les regardant s'éloigner et en considérant que, tout compte fait, ma conversation avec les Trois Gros Cochons s'était plutôt bien déroulée.

En fait, je me disais que c'était peut-être le début d'une nouvelle amitié lorsque tout mon corps s'est mis à me démanger et que j'ai senti ma gorge se serrer.

Je n'avais pas eu cette sensation que je connais trop bien depuis neuf longues années, mais je m'en souvenais encore. J'ai soulevé une tranche de pain de mon sandwich. C'était bien ce que je pensais.

Une cacahuète. En fait, pour être précis, une demi-cacahuète. L'autre moitié avait pénétré dans mon système digestif et j'étais en train de faire un choc anaphylactique. Toutes les muqueuses de ma gorge enflaient et j'arrivais à peine à respirer. J'ai voulu saisir mon EpiPen, puis je me suis souvenu que je ne l'avais pas : il se trouvait dans mon sac banane que j'avais laissé dans mon casier, où je le cachais la plupart du temps (ma mère m'aurait tué si elle l'avait su). Quand je portais mon sac banane, les Trois Gros Cochons me traitaient de tapette parce qu'il était rose fuchsia. C'était un échantillon que ma mère avait reçu gratuitement au centre commercial de Kelowna, où on habitait deux mois auparavant.

Ainsi, la seringue d'épinéphrine qui pouvait me sauver la vie se trouvait dans l'école, au deuxième étage. J'ai aperçu Troy, Mike et Josh tordus de rire. J'ai eu le temps de lire le titre de mon avis de décès avant que tout devienne noir : « REJET TUÉ PAR UNE DEMI-ARACHIDE », puis en dessous en plus petit, « il portait des Reebœrk ».

2

G₂ E₁ T₁ P₃ O₁ E₁ R₁

poète, pore, opte, pot, ergot, perte, porte, orge, pègre, péter

PROTÉGÉ

Mais je suis toujours en vie. J'ai plutôt été, comme l'a expliqué le médecin, dans un état de mort imminente. Ça peut sembler excitant à première vue, mais personnellement, je ne le recommanderais pas.

Je n'ai pas avancé dans un tunnel de lumière. Je n'ai aperçu ni Dieu, ni Allah, ni Bouddha. Je n'ai pas vu ma vie défiler. En fait, je ne me souviens de rien entre le moment où j'ai perdu connaissance et celui où l'ambulancier m'a injecté la première dose d'adrénaline qui suffit, en passant, pour réveiller n'importe qui. Par la suite, j'ai dû m'évanouir à nouveau car, lorsque j'ai repris connaissance, je me trouvais dans un lit d'hôpital, ma mère à mes côtés. Elle portait le chapeau mou à fleurs que je lui avais acheté au Village des Valeurs au Noël précédent. Elle me tenait la main, les yeux noyés de larmes.

Je voulais lui dire que j'allais bien, que tout s'arrangerait, mais ma gorge était bizarre. J'étais probablement drogué parce que je n'arrivais pas à sortir un mot. Je m'inquiétais de la voir bouleversée à ce point.

J'adore ma maman. Elle a essayé de me protéger durant toute ma vie, et pas seulement des arachides. Quand j'étais petit et que nous vivions encore à Edmonton, Nana Ruth, sa mère, se moquait d'elle en disant que notre maison était équipée comme un asile. Il ne manquait que la camisole de force. Il y avait des protecteurs dans les prises de courant ; les médicaments et les produits de nettoyage étaient sous clé ; de gros morceaux de mousse recouvraient les angles et les rebords de toutes les tables ; les tiroirs et les placards étaient verrouillés par une serrure à l'épreuve des enfants. Nous avions même d'énormes attaches en plastique pour tenir fermé le couvercle des toilettes. Ma mère craignait que je le soulève, que je tombe dans la cuvette et que je me noie.

Elle m'a obligé à regarder la vidéo *Jeannot Prudent* vingt mille fois. Elle ne m'a jamais permis de grimper aux arbres ou sur des échelles, ni de nager, à moins qu'elle ne soit dans l'eau avec moi. Elle me prend encore la main lorsque nous traversons une rue passante. C'est parfois gênant, surtout quand elle engueule les mauvais conducteurs, mais je sais qu'elle fait ça pour mon bien.

C'est parce que ma mère a si bien su me protéger que j'ai décidé, après notre déménagement à Vancouver il y a deux mois, que j'étais assez vieux pour lui rendre la pareille. J'ai donc prétendu que tout allait bien dans ma classe de septième année à l'école élémentaire des Cyprès, que j'avais des copains et qu'ils s'appelaient Troy, Mike et Josh. J'ai vu comme cela la rendait heureuse, parce qu'à Edmonton, à Regina et à Kelowna, je n'avais jamais vraiment eu d'amis.

À quoi bon lui avouer que cette école était semblable à toutes les autres ? Que, les bons jours, les Trois Gros Cochons me traitaient de tous les noms et que, les mauvais jours, ils jetaient mon lunch dans les toilettes et même, une fois, mon lunch *avec* mon short d'éducation physique.

À vrai dire, j'ai appris à vivre avec. Ce n'est pas la fin du monde. Et puis, si je racontais la vérité à ma mère, elle perdrait la tête à coup sûr. Elle en ferait toute une histoire. Elle appellerait le directeur qui appellerait les parents. Et puis, quand tout serait rentré dans l'ordre, qui resterait pour ramasser les pots cassés ? Moi.

Pour être honnête, j'aimais bien rentrer à la maison et lui raconter des histoires qui lui laissaient croire que je menais une vie normale :

« Puis on a joué au basket après dîner. »

« J'ai aidé Mike à faire son devoir de maths. »

« Troy m'a invité à sa fête d'anniversaire à Planète Laser. »

Ce dernier mensonge a failli mal tourner. J'avais choisi cette activité en étant sûr qu'elle refuserait : elle trouvait les jeux de laser trop violents et trop dangereux. J'ai été vraiment stupéfait quand elle a accepté que j'y aille. Nous avons acheté un cadeau et maman m'a amené en autobus à Planète Laser qui se trouve à Richmond, ce qui nous a pris plus d'une heure. En arrivant, elle a voulu entrer pour rencontrer la mère de Troy, mais je l'ai priée d'y renoncer parce que j'aurais eu l'air d'un bébé. Elle a fini par m'écouter.

Durant les trois heures qui ont suivi, je suis resté dans les toilettes du centre de jeux car il pleuvait à verse. J'ai lu le bouquin qu'on avait choisi pour Troy — *Le Prince des voleurs* de Cornelia Funke — et pendant un temps, je me suis senti transporté à Venise en Italie, en train de vivre une aventure stupéfiante, plutôt que perché sur une cuvette dans un cabinet empestant l'urine.

Sur le chemin du retour, l'autobus était bondé, les passagers mouillés sentaient l'humidité et la transpiration. Ma mère et moi avons dû nous tenir debout à l'avant pendant que je subissais son interrogatoire :

— Alors, comment c'était ?

— Super. Notre équipe a gagné. J'ai transpercé le cœur de Troy avec mon rayon laser.

— Oh, ça me semble cruel, m'a-t-elle dit en hochant la tête. Tu n'as pas pris de gâteau, hein?

— Non, maman. Je n'ai rien mangé d'autre que la collation que tu m'avais préparée.

Après ça, nous n'avons plus prononcé un mot. Je regardais la pluie qui coulait le long des vitres de l'autobus comme des rivières miniatures et j'observais en douce les visages fermés qui nous entouraient.

Cette fois, j'avais été mal à l'aise d'avoir menti. Ce mensonge-là ne m'avait pas donné l'illusion que je menais une vie normale.

Je me sentais comme une minuscule poussière dans l'univers.

J'avais dû me rendormir car, lorsque je me suis réveillé à nouveau, j'entendais ma mère discuter avec un médecin dans le couloir de l'hôpital, sa voix une octave plus aiguë que d'habitude. Je l'imaginais avec son chapeau, agitant les bras, et j'éprouvais une certaine pitié pour son interlocuteur. Tout à coup, j'ai perçu très distinctement : « Quoi ? Une arachide ? Vous voulez dire que ses copains ont intentionnellement mis une arachide dans son sandwich ? »

Oh là ! là ! Je me demandais qui avait osé dénoncer les Trois Gros Cochons. *Était-ce un autre élève qui avait vu ce qui était arrivé ? Ou bien l'un des Trois Gros Cochons lui-même, dans un rare instant de culpabilité ?*

Puis un souvenir nébuleux a émergé de mon cerveau et j'ai gémi. Une jolie infirmière se tenait à côté de moi lorsqu'ils m'avaient administré la deuxième dose d'adrénaline. Elle m'avait demandé ce qui s'était passé...

Et je lui avais tout raconté. C'était moi, le délateur.

Ma mère criait toujours dans le corridor et, bien que ça semble cinglé, à ce moment-là, je ne me réjouissais pas d'avoir survécu.

Je me disais : *pourquoi cette arachide ne m'a-t-elle pas tué une bonne fois pour toutes ?*

Je savais, sans l'ombre d'un doute, que les problèmes venaient de commencer.

3

R O E S H T I

rois, soir, hostie, hier, trois, thé, rôties, roté

HISTO(I)RE

Nous avons découvert que j'étais allergique aux arachides lorsque j'avais trois ans. Nous vivions à Edmonton, où ma mère enseignait à temps partiel à l'université, parce qu'il ne restait presque plus rien de l'assurance-vie de mon père. Elle m'avait confié à Betty Spooner (*noyer, pont, trop, trot, portes, pores*) qui dirigeait une garderie familiale. Je ne me souviens pas de grand-chose de cette Betty, sauf qu'elle était préhistorique. Elle semblait avoir 97 ans, mais elle en avait peut-être seulement 60.

Betty Spooner ignorait tout des allergies chez les enfants : lors de ma deuxième semaine, elle nous a servi des sandwiches au beurre de pinottes pour dîner. J'ai pris quelques bouchées et, par chance, Betty a détourné son regard du roman-savon qu'elle suivait sur la petite télé en noir et blanc de la cuisine. En me voyant gonfler comme un poisson-globe, elle a appelé le 911 et a ensuite prévenu ma maman. À l'hôpital, le médecin lui a dit que je souffrais d'une allergie sévère aux arachides et que si jamais j'en mangeais encore, la réaction serait plus grave. Depuis ce jour-là, je traîne un EpiPen et je porte mon propre bracelet MedicAlert. Je le trouvais cool à l'époque, mais je le déteste maintenant.

Quoi qu'il en soit, je ne suis jamais retourné chez Betty Spooner. Au retour de l'hôpital, j'ai entendu maman lui parler en criant au téléphone et la traiter de demi-demeurée, ce qui, avec du recul, n'était pas très juste. Betty faisait pour le mieux, mais ma mère est... eh bien, c'est ma mère. Après ce jour-là, elle n'a pas voulu que quelqu'un d'autre qu'elle prenne soin de moi. Elle a donc quitté son emploi de professeure et est restée à la maison jusqu'à ce que j'entre à l'école.

Ma maman avait quand même l'impression que je courais de graves dangers, même lorsque j'étais sous sa supervision. Je me souviens très clairement d'une visite au terrain de jeu près de notre appartement (celui avec les cages à poules rouges rouillées). Un homme âgé, assis sur un banc, donnait des arachides entières aux écureuils. J'ai ramassé une écale et j'ai failli la mettre dans ma bouche. Maman me l'a arrachée des mains juste à temps. Puis elle a fait la leçon au vieil inconnu sur les allergies. Il a fini par la traiter de *puta*. (J'ai découvert beaucoup plus tard que ce mot signifiait « prostituée », ce qu'elle n'est pas du tout. Elle ne sort jamais avec des hommes.)

Après cet événement, elle m'a acheté un de ces harnais pour enfants que je devais porter en tout temps. Je me revois en train de courir dans la rue ou dans un centre commercial, puis de me faire doucement retenir lorsque j'arrivais au bout de ma laisse. Je me rappelle aussi avoir vu ma mère se disputer avec des étrangers qui trouvaient cruel d'attacher un petit. Dans ces cas-là, j'imitais un chien et je jappais. Généralement, cela suffisait à les faire fuir. J'ai même, une fois, léché la main de ma mère, mais elle n'a pas apprécié.

Nana Ruth nous rendait visite encore souvent à cette époque. Elle non plus ne supportait pas de me voir attaché avec un harnais. Ma mère et elle ont eu des discussions animées à ce sujet quand elles me croyaient endormi.

— Ce n'est pas vrai, Irène. Je sais que tu veux le protéger, mais tu vas trop loin.

— Laisse-moi tranquille, maman, s'il te plaît. J'essaie simplement de le tenir à l'abri du danger.

J'adorais Nana Ruth, avec ses cheveux d'un blanc éclatant et ses survêtements de couleurs vives, mais j'adorais aussi ma mère et j'avais l'estomac à l'envers en les entendant se quereller.

Nana Ruth n'a pas gagné cette dispute et j'ai gardé mon harnais.

Jusqu'à la maternelle.

Vous allez peut-être croire que ma mère est folle, mais elle ne l'est pas du tout. Du moins, pas tant que ça.

En fait, elle était à deux doigts d'être une maman normale et on était à deux doigts de former une famille normale, mes deux parents et moi et, qui sait, un frère ou une sœur, ou au moins un animal.

Ma maman et mon papa s'aimaient pour vrai. Mon père était un bel Australien bronzé venu au Canada pour travailler. Il s'était rendu à Banff pour enseigner le ski et ne pensait rester qu'une année. À 25 ans, maman était une petite femme toute délicate aux longs cheveux bruns retenus en queue de cheval. Elle portait des lunettes de grand-mère qui lui donnaient un air sévère et la vieillissaient. Elle venait d'obtenir son doctorat en littérature anglaise à l'Université de Calgary grâce à sa thèse intitulée *Les conséquences de l'enfance solitaire des sœurs Brontë sur leur imaginaire*. Son texte a été publié dans une revue savante, même s'il n'avait rien de palpitant (sans offenser ma mère).

Maman était partie à Banff durant une semaine avec une amie pour faire la fête et se défouler. Un soir, elle a rencontré mon papa dans un bar. Selon ma maman, il n'était pas du tout son genre : « Il était tout en muscles et moi, tout en neurones. » Elle souriait toujours quand je lui demandais de raconter cette histoire, ce que je faisais assez souvent.

Malgré leurs différences, ils sont tombés follement amoureux. À peine quelques mois plus tard, mon père s'est installé à Calgary et peu après, ils se sont mariés. Ils ont loué une petite maison à trois rues de l'appartement de Nana Ruth. Maman a déniché un emploi à temps plein pour enseigner la littérature anglaise à l'université et espérait devenir professeure titulaire quelques années après. Si j'ai bien compris, ça signifie en fait que l'on a un travail pour la vie. Papa trouvait plein de boulot dans la construction.

Ma mère est tombée enceinte deux ans plus tard. Selon elle, mon papa me parlait tous les soirs et je lui « répondais » en donnant des petits coups de pied.

Alors qu'elle était enceinte de sept mois, maman a reçu un appel du contremaître pour lui annoncer que mon père s'était effondré au travail. Comme ça, boum. Il a été transporté en ambulance. Ma mère s'est rendue à l'hôpital à toute vitesse, mais, à son arrivée, on venait de constater le décès de mon père.

Mort sur le coup.

Il semble qu'il était déjà mort lorsqu'il est tombé au sol. Mon papa avait un anévrisme (*vérin, âne, menais, saine, rame*) dans son cerveau, un petit vaisseau sanguin qui enflait lentement comme un ballon. Ce jour-là, il a éclaté.

Je n'ai donc jamais connu mon père, ni aucun membre de sa famille. Ses parents étaient morts quand il était jeune. Il avait un grand frère en Australie, mais j'imagine que ma mère et lui se sont perdus de vue parce qu'il ne donne jamais de nouvelles.

J'ai des tas de photos de mon papa, presque toutes prises par ma maman. Elle m'en parle, mais seulement quand je le lui demande. Nana Ruth m'en parle aussi, mais comme nous avons déménagé à Edmonton (en Alberta) quand j'avais deux ans, puis à Regina (en Saskatchewan) à l'âge de cinq ans, à Kelowna (en Colombie-Britannique) quand j'avais neuf ans puis à Vancouver cet été, juste après mon douzième anniversaire, je ne l'ai pas vue souvent. Elle venait nous rendre visite, mais pas plus d'une fois par année parce qu'elle n'aime pas prendre l'avion.

La dernière fois que je l'ai vue, nous habitions encore à Kelowna où maman enseignait à l'Université de Colombie-Britannique de l'Okanagan. Je les ai entendues se disputer la veille de son départ. Ma grand-mère disait :

— Ça suffit, Irène. Il faut que tu refasses ta vie et que tu cesses de vivre dans le passé.

Puis maman a dit qu'elle vivait sa vie, qu'elle faisait de son mieux et qu'elle en avait assez que Nana la juge tout le temps.

C'est peut-être une autre raison pour laquelle Nana Ruth n'est plus venue nous voir. Je ne sais pas.

D'après des bribes de conversation et de petits indices, je soupçonne que ma mère était une personne bien différente quand mon père vivait encore. Mais je la connais seulement « post mortem », après la mort de papa. C'est la seule version d'elle que je connais et c'est une version que j'aime de tout mon cœur.

Je sais aussi qu'elle m'aime à la folie. Alors j'arrive à peine à m'imaginer comment elle s'est sentie lorsqu'elle a reçu le coup de téléphone de l'école. Je suppose qu'entendre « votre fils est à l'hôpital » ressemble beaucoup à « votre mari est à l'hôpital ».

On sait comment la première histoire a tourné.

4

B₃ **E**₁ **R**₁ **A**₁ **M**₂ **O**₁ **S**₁

sombre, ambre, sobre, bas, robe, rose, brame, morse

AMBRO(I)SE

C'était le prénom de mon père. C'est pour ça que je m'appelle Ambroise. Il vient du grec *ambrotos* qui signifie «le divin, l'immortel».

J'ai déjà souligné cette ironie à ma mère. Je lui ai dit: «C'est bizarre, non, étant donné que papa ne l'était pas du tout, immortel…»

Maman ne m'a pas trouvé drôle du tout.

5

C₃ A₁ S₁ E₁ S₁ U₁ C₃

sceau, cas, cases, succès, suças, casse

ACCUSÉS

— Vous auriez pu le tuer!

Ma mère parlait d'un ton calme, mais sinistre, dans un souffle. Elle portait son plus beau tailleur, celui qu'elle avait acheté à l'Armée du Salut quand nous vivions à Regina. Les boutons dorés du veston lui donnaient de la classe, comme une vraie femme d'affaires. J'étais assis à côté d'elle sur une chaise droite et parce que je voulais avoir l'air sérieux moi aussi, j'avais enfilé mon pantalon brun (un peu serré à l'entrejambe) et une chemise rayée bleu et blanc à col boutonné que j'avais dénichée au Village des Valeurs. Elle m'allait bien, même si elle était deux tailles trop grande.

Troy, Mike et Josh nous faisaient face, coincés sur le vieux canapé à carreaux qui sentait bizarre. Ils n'avaient fait aucun effort pour s'habiller convenablement. Entre nous, le directeur, monsieur Acheson, était assis à son bureau. Il ressemblait à quelqu'un qui avait dû être un grand sportif dans sa jeunesse, mais maintenant, il était plutôt flasque et presque chauve. Il portait l'une de ses célèbres cravates (celle avec les grenouilles dansantes). D'après moi, il espérait que ses cravates le rendraient plus sympathique auprès des jeunes.

Ça ne marchait pas.

J'avais quitté l'hôpital la veille. Je me sentais légèrement faible, mais sinon, je me portais bien physiquement. Par contre, moralement, j'étais une loque.

— C'était une blague, a dit Troy en me fixant comme s'il voulait m'écraser avec ses yeux minuscules.

Maman s'est raidie :

— Une blague? Alors, pour toi, une bonne blague, c'est risquer la vie d'un ami?

— C'était un accident! s'est exclamé Mike.

Ma mère lui a lancé un regard assassin. Le ton de sa voix est monté d'un cran :

— Un *accident*? Tous les trois, vous avez délibérément mis une arachide dans le sandwich de mon fils, en sachant très bien qu'il souffre d'une allergie mortelle. Quel genre d'idiots sans cœur...

— S'il vous plaît, Ma'me Bukowski, calmez-vous, est intervenu le directeur.

— *Madame* Bukowski. Me calmer, moi? Mon enfant a été pratiquement assassiné par ces trois maudits morons épais et vous me demandez de me calmer?

Oh! flûte. J'avais espéré que ma mère ne s'abaisserait pas au niveau du camionneur mal élevé.

— Je pourrais déposer une plainte au criminel contre ces trois voyous pour voies de fait causant des lésions corporelles, malveillance volontaire...

— Ma'me Bukowski, l'a interrompu monsieur Acheson.

— *Madame* Bukowski.

— Si vous voulez faire de telles menaces, je devrai convoquer les parents des garçons ainsi que le directeur de la commission scolaire.

Ma mère a fini par se taire. Il y a eu un silence embarrassé pendant quelque temps.

— Vous trois, qu'avez-vous à dire pour votre défense? a demandé le directeur.

— On pensait qu'il exagérait, a avancé Josh.

— Ouais, comment on pouvait deviner qu'il était sérieux? a ajouté Mike.

— Parce qu'il est votre ami! s'est écriée ma mère.

Troy a grogné. Je me suis ratatiné un peu plus sur ma chaise. Maman lui a lancé un regard furibond:

— Qu'est-ce que tu as dit?

— Rien, a marmonné Troy.

— Non, j'aimerais savoir.

— Ce n'est pas notre ami, a dit Troy.

Ma mère a secoué la tête:

— Alors pourquoi l'as-tu invité à ta fête d'anniversaire?

C'est ce que je disais: de la merde, un trou, moi dedans. *Merdemerdemerde.*

Déconcerté, Troy clignait des yeux:

— Ma fête est seulement en mars.

Maman m'a regardé, mais j'ai fait semblant d'avoir trouvé quelque chose de vraiment intrigant sur mes Reebœrk.

Mike triomphait:

— Vous voyez bien? C'est juste un gros menteur.

— Les garçons..., est intervenu monsieur Acheson.

— Il nous a raconté que sa famille était pleine aux as et qu'il allait à l'école publique seulement parce que ses parents voulaient qu'il se mêle aux enfants ordinaires, a expliqué Troy.

Josh a ajouté:

— Il nous a dit que vous passiez toutes les fins de semaine dans votre chalet à Whistler.

— Mais ça ne faisait aucun sens à cause de sa façon de s'habiller et tout le reste...

— Ouain, des pantalons trop courts et des faux Reebok.

— Ouain, s'il est si riche, comment ça se fait qu'il se promène avec un sac banane rose fluo?

J'avoue, j'ai joué avec la vérité. Mais comme dans les autres écoles cela ne m'avait servi à rien d'être honnête, j'avais décidé d'essayer autre chose.

— On pensait que son histoire d'allergie était une menterie de plus, a expliqué Troy. Vous savez, une autre façon de se rendre intéressant. On a voulu lui donner une leçon, j'imagine.

Ma mère était bouche bée. Je pouvais sentir son regard, même si je fixais encore mes souliers, comme si je cherchais à transformer le « bœrk » en « bok ».

Le directeur a rompu le silence:

— Ma'me... Madame Bukowski, c'était un événement vraiment malheureux et nous sommes désolés pour la douleur que vous avez éprouvée. Les garçons ont reçu une sévère réprimande et j'en ai informé leurs parents. Ils sont obligés de faire le ménage de la salle de repas durant un mois. Ils savent qu'ils seront suspendus s'ils recommencent ou s'ils font une bêtise du même genre. Mais après les avoir entendus, j'ignore ce que nous pouvons faire de plus.

Je m'attendais à entendre une autre volée de gros mots sortant de la bouche de ma mère.

— Merci d'avoir pris le temps de nous rencontrer, s'est-elle contentée de dire en se levant et en repoussant une mèche de cheveux.

Puis elle est sortie.

Sans moi.

Je suis resté assis un moment, incertain de ce que je devais faire, puis j'ai dit :

— Yo, pas de remords, les gars.

J'ai esquissé un sourire nonchalant, mais ils m'ont fixé comme si j'étais un parfait idiot. Même le directeur semblait gêné pour moi.

Alors je me suis levé en me disant que je pouvais au moins sortir la tête haute, mais j'imagine que ma jambe s'était engourdie parce que j'ai failli perdre l'équilibre. Je me suis retenu sur le rebord du bureau de monsieur Acheson et j'ai fait tomber son porte-crayon. Comme je ramassais ses stylos, il m'a dit — plutôt sèchement, d'après moi :

— Laisse faire.

Je suis sorti en traînant ma jambe endolorie derrière moi. Et en me sentant comme le plus grand nul que la Terre ait jamais porté.

6

L A R H U M E

râle, mâle, rhume, rame, mur, mule, mare, larme, hurle

MALHEUR

Je courais presque pour rattraper ma mère, ce qui n'était pas facile parce que ma jambe était encore engourdie. Par chance, nous vivons à seulement trois rues de l'école, alors je n'ai pas eu à marcher longtemps pour retourner à la maison.

En fait, je devrais dire *au sous-sol* de la maison qu'on habite à Kitsilano, un quartier de l'ouest de Vancouver. C'est sur l'itinéraire d'un autobus qui mène au travail de maman.

Nous avons déménagé ici pour son nouveau travail. Elle est chargée de cours à temps partiel à l'Université de Colombie-Britannique, UBC. Ça signifie qu'elle donne un paquet de cours, mais qu'elle n'est pas à vrai dire une employée permanente. Elle avait le même statut dans toutes les autres villes où nous avons habité. Chaque fois, elle espérait être embauchée à temps plein et chaque fois, elle a été déçue.

J'aime bien notre nouveau quartier. Nous vivons sur la 7e Avenue Ouest, à deux minutes de marche de tous les magasins sur Broadway et à vingt minutes à pied de la plage Jericho, un des plus beaux parcs que j'aie jamais vus. Nous nous y étions promenés le lendemain de notre déménagement et c'était la première fois que je voyais le Pacifique, ou un océan en fait.

La maison où nous vivons appartient à monsieur et madame Economopoulos, un gentil couple de Grecs qui habitent à l'étage. Dans l'annonce, il n'était pas écrit que notre appartement se trouvait au sous-sol, mais plutôt « en rez-de-jardin ». Maman les a un peu réprimandés quand nous sommes allés le visiter, mais ils nous l'ont tout de même loué. En fait (et sans vouloir me vanter), je pense qu'ils nous ont acceptés comme locataires grâce à moi. Madame Economopoulos — une grassouillette qui sent le bon pain chaud et porte des robes informes avec des chaussettes de nylon couleur taupe — m'a souvent pincé les joues ce jour-là et n'arrêtait pas de répéter que je lui rappelais son plus jeune fils, Cosmo, quand il avait mon âge.

— C'était un beau garçon, a-t-elle dit.

Puis ses yeux se sont remplis de larmes. Elle m'a pincé les joues à nouveau et a ajouté, à l'attention de ma maman, qu'elle pouvait avoir l'appartement si elle le voulait et même, qu'elle baisserait le loyer de cinquante dollars.

J'aime leur maison. Elle est recouverte de stuc blanc et elle est entourée d'une clôture basse en fer forgé. À l'avant, il y a une vasque pour les oiseaux, au milieu d'un grand jardin de fleurs, dans lequel poussent plein de roses au printemps, m'a dit madame Eco. La cour arrière est encore plus étendue, et le tiers est occupé par les plants de tomates que monsieur Eco protège d'une immense toile de plastique. Ils ont aussi une grande terrasse attenante à la cuisine, où monsieur Eco prépare des barbecues, beau temps, mauvais temps.

Nous avons notre propre allée qui mène à la porte de notre logement sur le côté de la maison.

Notre appartement au sous-sol n'est pas aussi vaste que celui de Kelowna, ni aussi ensoleillé qu'à Regina parce que, comme l'a dit maman, les loyers étaient moins chers là-bas et on en avait plus pour notre argent. Ici, nous avons deux chambres, un salon-cuisine et une grande salle de bains. Maman a couvert les murs du salon avec ses photographies. Elle en faisait beaucoup quand papa vivait et ses images, pour la plupart des arbres, des fleurs et des plages, ont réussi à transformer chacun de nos appartements en vraie maison.

L'un dans l'autre, c'est un bel endroit et jusqu'ici, on a été inondés une seule fois. Lorsque c'est arrivé, les Economopoulos ont eu la gentillesse de faire nettoyer l'appartement et nous avons même dormi quelques nuits dans leur chambre d'amis. C'était amusant parce que la première nuit, madame Economopoulos nous a préparé un copieux repas grec avec des souvlakis, de la moussaka et ce fromage qu'on fait flamber. Et une fois que maman lui a fait jurer sur sa statuette de la Vierge Marie qu'il n'y avait aucune arachide dans aucun plat, j'ai pu me bourrer la face. Que c'était délicieux! Et, sans faire offense à ma mère, madame Eco cuisine beaucoup mieux qu'elle. Monsieur Eco et elle nous ont raconté un tas d'histoires sur leur enfance en Grèce et sur la boulangerie qu'ils possédaient ici, à Vancouver, jusqu'à leur retraite l'an dernier. Madame Eco traduisait pour monsieur Eco qui ne parle pas bien l'anglais, même s'il vit au Canada depuis plus de trente ans. On s'est vraiment amusés. Bien que cela puisse paraître étrange, je me sentais plus à la maison chez eux que chez moi.

Le moment le moins agréable de la soirée, c'est quand les adultes ont bu du café au salon après souper. Monsieur Eco s'est assis dans son fauteuil préféré, un gros La-Z-Boy en cuir. Madame Eco et moi étions sur le canapé recouvert d'une housse en plastique transparent, qui faisait des bruits de pet chaque fois que quelqu'un remuait. Maman se tenait debout et scrutait les photos encadrées de leurs enfants. Elle leur a demandé :

— Vous avez trois enfants?

Madame Eco a répondu avec fierté.

— Oui. Vivian, la plus âgée, a 28 ans. Mariée à un médecin, un podiatre, a-t-elle précisé en pointant ses pieds. Il gagne beaucoup d'argent avec les pieds des gens. Nick, celui du milieu, a 26 ans. Il travaille beaucoup, il vend des autos. C'est un très bon garçon.

— Des BMW et des Lexus, a ajouté monsieur Eco.

Il y a eu un silence, puis maman a demandé:

— Et le plus jeune?

— Cosmo, a répondu madame Eco.

Ses yeux se sont remplis de larmes, comme le jour où elle m'avait pincé les joues. Monsieur Eco s'est mis à parler en grec à voix haute.

Ma mère s'est excusée:

— Je suis désolée, je ne voulais pas vous troubler.

— Est-il mort? ai-je demandé.

Ma mère m'a lancé son regard pétrifiant, ce qui n'était pas juste parce que je savais bien que la même question lui brûlait les lèvres.

— Non, il est en prison, a répondu madame Eco.

Monsieur Eco lui a crié quelque chose en grec, puis il est sorti en trombe de la pièce.

— Mon mari, il est fou. Il croit que vous allez penser qu'on est de mauvaises personnes à cause de Cosmo.

— Mon Dieu, bien sûr que non! a répliqué ma maman, d'un ton un peu faux.

Je voulais en savoir plus:

— Pourquoi il est en prison?

D'après le regard que ma mère m'a jeté, on aurait dit que j'avais demandé la couleur des bobettes de madame Eco.

Madame Eco s'est mise à pleurer. Maman, qui me fixait encore d'un air glacial, m'a dit :

— Ambroise, ce ne sont pas nos affaires.

Franchement, je savais qu'elle mourait d'envie elle aussi de connaître la raison.

De toute façon, tout le monde a fini par se calmer et nous avons repris une deuxième portion de dessert. Puis, nous avons regardé *The Amazing Race,* une des émissions préférées de monsieur Eco. Maman avait essayé de m'envoyer au lit avant qu'elle ne commence, mais j'avais fait exprès de manger mon dessert très, très lentement, parce que j'avais entendu des enfants de l'école en parler et que je ne l'avais jamais vue (même si elle était diffusée depuis des années). C'était extraordinaire. Je me suis tenu sur le bord du canapé du début à la fin. Même maman, qui ne veut pas nous abonner au câble parce qu'elle dit que la télé est un gaspillage de temps bêtifiant, s'est laissé emporter par le suspense. Monsieur Eco a interpellé les concurrents en grec durant toute l'émission.

Ensuite, nous sommes allés nous coucher. Ils nous ont prêté l'ancienne chambre de Vivian, où il y avait des lits jumeaux. Une gigantesque collection de poupées Barbie occupait toutes les étagères. J'ai posé la question à nouveau à ma mère :

— Pourquoi il est en prison, tu penses ?

— Je n'en ai pas la moindre idée.

Nous sommes restés silencieux dans l'obscurité pendant quelques minutes, puis je lui ai demandé :

— Et si c'était un meurtrier et qu'il s'évadait et qu'il revenait chez lui pour manger un repas de sa maman ? Elle cuisine comme une reine.

J'ai roté, puis j'ai eu dans la bouche un goût de moussaka mélangé au goût de dentifrice, ce qui n'était pas aussi désagréable qu'on pourrait le croire.

Tout ce que j'ai eu comme réponse, c'est un doux ronflement.

Lorsque nous sommes rentrés après la réunion à l'école, les Economopoulos étaient sur la galerie.

— Bonjour, Irène, bonjour, Ambroise.

— Bonjour, monsieur Eco! Bonjour, madame Eco!

Maman s'est contentée de les saluer de la main et s'est dirigée vers notre porte. Au fil des ans, j'avais remarqué qu'elle ne s'attachait jamais à nos propriétaires. Quand on est entrés, elle n'a rien dit de plus. Elle a simplement ouvert une bouteille de vin et s'est mise à préparer le repas, alors je suis allé dans ma chambre.

Ma chambre donne sur le potager, alors en me hissant jusqu'à la fenêtre, je peux voir du gazon et, si je me tiens debout sur mon lit, j'aperçois les plants de tomates de monsieur Eco. Mon plafond est couvert d'étoiles phosphorescentes. Ça commence peut-être à faire bébé, mais j'aime bien les contempler après avoir éteint ma lampe de chevet. Ce qui est incontestablement bébé, par contre, c'est mon couvre-lit d'*Histoire de jouets* orné d'images de Buzz Lightyear, mais maman dit que pour le moment, nous ne pouvons pas en acheter un autre. Dans un coin, il y a un petit bureau peint en blanc prêté par les propriétaires. Dessus, j'ai deux gros pots de verre. Dans l'un d'eux, je conserve ma collection de capsules de bouteilles. J'en ai trouvé des vraiment originales, peut-être parce que je regarde toujours par terre quand je marche. L'autre contenant est presque à moitié plein de 25 cents. Je les ramasse depuis que je suis petit et dès que le pot se remplit, maman et moi déposons l'argent à la banque pour mes études universitaires.

Je n'ai pas de porte, mais avec ma mère, on a acheté des rideaux de billes de plastique multicolores vraiment *cool* que nous avons suspendus au cadre, et qui font clic-clic-clic chaque fois que j'entre ou que je sors de ma chambre.

Il y a une énorme affiche de la Lune au-dessus de mon lit et une du corps humain sur le mur opposé. La seule autre décoration est une photo dans un cadre, à côté de mon lit. C'est un portrait de mon père, fait par ma maman quelques mois seulement avant sa mort. Il me regarde directement et ses yeux sont tout plissés parce qu'il fait un énorme sourire. Maman m'a dit qu'elle venait de lui raconter une blague, mais quand je lui demande laquelle, elle prétend ne pas s'en souvenir.

Il était vraiment beau, mon papa. Il avait d'épais cheveux bruns et la peau bronzée et des muscles et il était grand — 1,90 mètre — un bon trente centimètres de plus que ma mère. Elle m'a expliqué qu'il l'appelait la P'tite Morveuse, mais quand j'ai voulu l'appeler comme ça moi aussi, elle a refusé.

Parfois, je me regarde dans le miroir de la salle de bains pour essayer de voir si certaines parties de moi lui ressemblent. En revanche, je n'arrive pas à imaginer mon papa petit, maigre, les jambes arquées, avec une mèche rebelle sur le devant, ni un nez trop gros pour son visage. Pour ce qui est de l'apparence physique, j'ai probablement hérité d'une espèce de gène récessif.

En tout cas, j'ai salué rapidement mon père, comme je le fais toujours en entrant dans ma chambre. Cela peut sembler idiot, mais je sais au plus profond de moi qu'il me voit le saluer et qu'il souhaiterait être ici pour me regarder grandir, jouer au ballon avec moi et me parler des filles, de la puberté et d'érections (*cretons, reniés, créons, notes, section*) gênantes. J'en ai eu au moins une douzaine jusqu'ici. Merci mon Dieu pour les manuels qu'on peut tenir devant soi quand on doit traverser une pièce. Je n'aborderai pas le sujet des pollutions nocturnes.

Même si papa ne peut pas être ici physiquement, je pense qu'il nous surveille d'en haut.

Et je sais qu'il aime maman. Et je sais qu'il m'aime.

Après souper, j'ai lavé la vaisselle pendant que maman buvait son troisième verre de vin en payant les factures. Je pouvais l'entendre se parler à elle-même et jurer un peu. Les factures lui font toujours le même effet.

Elle n'avait encore rien dit au sujet de la réunion dans le bureau du directeur. Quand nous avons eu terminé nos tâches respectives, elle a sorti le jeu de scrabble, ce qui était bon signe parce qu'elle respectait notre routine.

Je ne suis pas bon à grand-chose. Je réussis bien à l'école sans être exceptionnel. Je n'ai aucun talent pour le sport. Ma mère a déjà économisé sur tout pour que je puisse suivre des cours de trombone. J'étais tellement poche que nous avons laissé tomber après trois mois.

Mais je joue bien au scrabble. En fait, ma maman m'appelle le génie du scrabble parce que je la bats tout le temps. Cela l'amuse, mais mon talent l'irrite aussi. « Et dire que c'est moi qui ai un doctorat en littérature… », se plaint-elle.

Ce soir n'a pas fait exception à la règle. J'ai joué les mots « LÉGUME », « ZIP » (sur une case « mot compte triple ») et « MÉMENTO » accroché à un « S », ce qui m'a donné une bonification de cinquante points parce que j'ai utilisé mes sept jetons. Mais ce que j'ai préféré de ma partie, c'était tout au début. Je devais commencer et j'avais pigé des lettres horribles : « K, F,

Y, A, P, T, U ». J'ai réfléchi de longues minutes en déplaçant les jetons et, au moment où ma mère commençait à s'impatienter et à marteler la table avec ses doigts (ce qui me dérangeait profondément et contrevenait au règlement familial), j'ai vu le mot « YAK ». Je l'ai déposé sur l'étoile du « mot compte double » au milieu de la planche et j'ai obtenu 42 points.

Plus tard, pendant que nous rangions le jeu, maman m'a demandé :

— Qu'est-ce que tu as fait du livre ?

— Quel livre ?

— Celui qu'on avait acheté pour la fête de Troy : *Le Prince des voleurs*.

Oh, celui-là !

— Je l'ai laissé à Planète Laser.

Elle a hoché la tête, puis m'a dit :

— Et qu'est-ce que tu as fait durant trois heures ?

— J'ai lu le livre dans les toilettes. Il était très bon.

Elle a rangé le jeu de scrabble sur l'étagère et a vidé la bouteille dans sa coupe.

— Je suis désolé, maman. Je ne sais pas pourquoi j'ai menti. C'est que... arriver dans une nouvelle école, ce n'est pas facile et j'ai pensé que si je faisais semblant que j'étais quelqu'un... quelqu'un, je ne sais pas, qui...

— Quelqu'un d'autre ?

Je n'ai rien dit.

Maman a pris son verre en m'annonçant :

— Je vais aller me coucher et lire un peu.

— OK, ai-je répondu, en sachant que cette conversation n'était pas terminée.

Et j'avais raison.

7

G_2 C_3 H_4 N_1 O_1 N_1 O_1

oh, go, no, nono, con

GNOCHON

Le dimanche, nous avons marché jusqu'à l'île Granville au bord de l'eau. Le temps était couvert, mais il ne pleuvait pas.

J'aime beaucoup l'île Granville même si, en réalité, ce n'est pas une île du tout puisqu'il y a une route pour s'y rendre. C'est un endroit plein de vie. Au marché, nous avons acheté des pommes de la vallée de l'Okanagan et des chaussons-pizzas à notre boulangerie préférée. Nous les avons mangés au bord de l'eau en contemplant les Aquabus — de drôles de petits bateaux qui transportent les piétons jusqu'au centre-ville à travers la baie de False Creek.

C'est à ce moment que la conversation a repris.

— Tu ne sembles pas avoir beaucoup de chance avec le système scolaire régulier, a dit maman.

— Merci quand même...

— Ce n'est pas une critique, une observation seulement. Beaucoup de gens célèbres n'ont pas bien réussi dans le réseau normal.

— Ah oui ? Comme qui ?

— Les sœurs Brontë.

J'ai levé les yeux au ciel. Il n'y a que ma mère pour qualifier les sœurs Brontë de « célèbres ».

— Et Einstein. Ses professeurs l'envoyaient au coin avec un bonnet d'âne sur la tête.

— Tu inventes tout ça.

Elle a souri, puis a dit :

— Et puis, Nelson Mandela recevait des coups de ceinture chaque semaine. Et Gandhi, lui, a souvent été en retenue.

Là, je me suis mis à rire. J'ai lancé un morceau de ma pizza à un attroupement de mouettes en train de glousser.

— J'ai rencontré le directeur, monsieur Acheson, aujourd'hui, m'a-t-elle avoué.

— Ah oui ? Quand ça ?

— Pendant que tu aidais monsieur Economopoulos à ranger son garage.

Parfois, la fin de semaine, j'aidais monsieur Eco à tondre le gazon avec une tondeuse manuelle ou en faisant toutes sortes de travaux contre un peu d'argent de poche.

— Nous avons réfléchi aux différentes options et il recommande les cours par correspondance.

— Qu'est-ce que c'est ?

— Pour faire court, le centre d'études par correspondance du district t'envoie le travail et tu le fais à la maison.

— Sans personne pour m'enseigner ?

— Eh bien, je te superviserais. Et tu aurais un professeur avec qui tu pourrais communiquer en ligne.

— Mais on n'a même pas d'ordinateur !

Maman ne croit pas à l'informatique, encore moins à Internet. Elle dit que c'est un repaire de pornographes et de pédophiles. Mais si vous voulez mon avis, c'est un brin hypocrite, parce qu'elle, elle a accès à un ordinateur quand elle le souhaite à l'université.

— Monsieur Acheson dit qu'il peut s'organiser pour que tu utilises les ordinateurs de l'école, parce que c'est un site du

Programme d'accès communautaire. Comme tu n'es plus un élève, ils ne peuvent pas te laisser seul à l'école, alors je devrai m'y rendre avec toi. C'est une question de responsabilités, semble-t-il.

— Comment tu vas faire ? Tu enseignes le jour.

— Le département a besoin d'un chargé de cours le soir aussi. Cinq soirs par semaine, de six heures à dix heures. J'ai parlé au doyen et il m'a dit que je pouvais changer.

— Et tu vas me laisser tout seul à la maison ?

— C'est la partie du plan qui ne m'enchante pas. Tu devras suivre des règles et je demanderai à madame Economopoulos d'avoir l'œil sur toi.

La voix de ma mère s'est cassée un peu. J'ai levé les yeux vers elle et j'ai vu qu'elle essayait de ne pas pleurer.

— Maman, non... Je vais retourner à l'école des Cyprès. Je ne veux pas tout chambarder.

— Oh, Ambroise, a-t-elle dit en m'attirant vers elle. Tu ne chambardes rien. Ne pense jamais ça.

Elle s'est mouchée dans un vieux Kleenex qu'elle a trouvé dans une poche de son jean.

— Alors, qu'en dis-tu ? Veux-tu essayer les cours par correspondance ?

— Je pense que oui.

Tandis que nous observions les bateaux naviguer sur l'eau, j'ai pesé le pour et le contre.

POUR

a) fini les Trois Gros Cochons

b) fini les blagues sur les tapettes

c) fini les enseignants impatients que j'embête en posant trop de questions ou quand je pousse un cri parce que les Trois Gros Cochons ont jeté mon sandwich dans les toilettes

d) fini les horaires

e) fini les cours d'éducation physique où on est obligés de porter un short d'abruti devant tous les autres garçons (un jour, j'avais oublié de mettre des bobettes et c'était le pire jour de ma vie, pire encore que le jour où j'ai failli mourir)

CONTRE

a) fini les coups d'œil dans le décolleté de madame Martin pendant le cours de musique, quand elle appuie ses seins sur sa guitare, et ils sont gros, et ils bougent un peu et on peut voir un bout de dentelle de son soutien-gorge (ce contre est aussi un pour parce que j'ai déjà bandé en regardant sa poitrine et j'ai dû garder ma partition sur les genoux pour le reste de la période)

C'est le seul point négatif que j'ai trouvé. J'ai senti un brin d'excitation dans mon ventre.

Les cours par correspondance seraient super.

8

pur, pus, sur, pis, ris, rusés, peur, prise, pisse

SURPRI(S)E

La pluie s'est mise à tomber avec le début de novembre. En plus, comme les jours raccourcissaient et parce que nous habitons dans un sous-sol, nous avions parfois l'impression de vivre dans une caverne, même au beau milieu de la journée. Ça ne me dérangeait pas trop, mais ça embêtait ma mère. Au début, pour nous gâter, nous allumions toutes les lampes en nous levant le matin et les laissions allumées, mais ce n'était pas bon pour l'environnement, et ma mère a eu le souffle coupé quand elle a reçu le compte d'électricité, alors on ne le fait plus.

Au milieu du mois, nous avions adopté notre petite routine. Comme maman travaillait jusqu'à dix heures et n'arrivait à la maison qu'une heure après, nos journées débutaient plus tard qu'avant. Nous dormions jusqu'à huit heures et demie, puis, sans prendre la peine d'enlever notre pyjama, nous mangions un fruit et nos céréales de marque Sans Nom. Maman buvait deux tasses de café en lisant le *Vancouver Sun* de la veille (les Economopoulos nous laissaient leur exemplaire à la porte quand ils avaient fini de le lire). Vers dix heures, nous regardions le travail de la journée que l'école par correspondance m'adressait. Ensuite, maman m'envoyait prendre une douche et m'habiller, et je me mettais au boulot une demi-heure plus tard.

Étonnamment, je faisais tout mon travail plutôt rapidement. Si on enlève le contexte de la classe et le professeur qui doit superviser trente autres élèves, la matière qui occupait six heures à l'école ne m'en prenait que deux ou trois à la maison. Pendant que je faisais mes devoirs, maman corrigeait les travaux de ses étudiants en maugréant devant leur piètre orthographe et leur absence de pensée critique.

— J'enseigne à des jeunes qui ne veulent pas être là, m'a-t-elle dit, (même si elle m'avait répété la même chose un million de fois et dans toutes les villes où nous avions habité). Comme des étudiants en génie qui ont besoin d'un cours d'anglais pour obtenir leur diplôme, ou d'autres encore qui sont en langue seconde. Les professeurs permanents, eux, donnent leurs cours à ceux qui choisissent d'être là. Ils refilent tous les cours plates aux chargés de cours comme moi.

Dès que nous avions terminé — moi, mes travaux et elle, ses corrections —, nous sortions pour nous dégourdir. En général, on faisait une longue promenade sur la plage. De temps en temps, nous allions patiner au centre communautaire de Kitsilano. Mais je n'aimais pas beaucoup ça, parce que maman insistait pour me louer un casque et comme elle craignait que j'attrape les poux du patineur précédent, elle m'obligeait à porter ma tuque sous le casque, ce qui était inconfortable, sans compter que j'avais l'air d'un moron.

Les jeudis après-midi à deux heures, nous allions à l'école des Cyprès pour que j'utilise un ordinateur. La première fois, j'avais des papillons dans le ventre, plutôt des éléphants en fait, parce que je craignais de tomber nez à nez avec les Trois Gros Cochons. Mais je n'avais rien à craindre, le moment était bien choisi: tous les élèves étaient en classe et le laboratoire d'informatique était vide. Deux semaines de suite, monsieur Acheson est venu voir comment je me débrouillais.

— Tu sais, ta maman se dévoue pour toi, m'a-t-il dit un jour tandis qu'elle se trouvait à côté.

Ça m'a plutôt agacé. C'est comme si j'avais des besoins particuliers et qu'il me fallait quelqu'un pour me défendre. Mais ça ne dérangeait pas ma mère, même quand il a mis ses grosses papattes sur ses petites épaules et les a serrées.

Maman partait travailler tous les jours de la semaine à cinq heures. Son nouvel horaire ne nous permettait plus de jouer nos parties habituelles de scrabble, mais parfois, nous avions le temps d'en faire une rapide avant son départ.

Elle m'a dressé une liste de règles et m'a même donné un téléphone cellulaire pour que je puisse l'appeler de n'importe où (ce qui, selon les règles, ne devait pas être plus loin que la bibliothèque municipale à quatre rues de chez nous).

Au début, j'aimais bien passer mes soirées seul. J'étais mon propre patron. Maman me limitait à une heure de télé par jour, mais comme elle n'était pas là pour me surveiller, je la regardais autant que je voulais. Par contre, comme notre appareil ne captait qu'une chaîne, mon enthousiasme a été de courte durée.

Pendant un certain temps, j'ai trouvé autre chose à faire, comme manger ce que je voulais quand j'en avais envie, mais maman n'achète jamais de malbouffe ni aucun aliment portant la mention « peut contenir des traces de noix et d'arachides ». Pour être honnête, avaler d'une traite la moitié d'un pain à l'épeautre ne m'emballait pas particulièrement.

Un soir, je me suis aventuré à huit rues de la maison, quatre de plus que mon rayon permis. Une autre fois, j'ai goûté au vin dans la bouteille que ma mère gardait dans le frigo, mais c'était dégueulasse.

Je devais me coucher à neuf heures et demie. Je pouvais lire un peu et je devais éteindre ma lampe à dix heures, mais c'était difficile parce que je n'étais pas habitué à m'endormir sans maman. J'imagine que je voulais aussi m'assurer qu'elle était saine et sauve. Alors, la plupart des soirs, je n'éteignais pas la lumière avant d'entendre ses pas dans l'allée et je faisais ensuite semblant de dormir.

Le jeudi de la troisième semaine, l'effet de nouveauté s'était estompé et je m'ennuyais ferme. J'avais déjà fouillé dans les tiroirs de ma mère, sans faire de découvertes intéressantes, et mon comportement m'avait légèrement dégoûté. Il pleuvait à verse et le vent s'était levé. De temps à autre, les cadres de fenêtre vibraient, ce qui me donnait l'impression que quelqu'un essayait d'entrer. J'ai allumé la télé pour avoir de la compagnie et j'ai regardé un documentaire avec l'écologiste David Suzuki tout en mangeant un morceau caoutchouc du « célèbre poulet pané » de maman. J'essayais de me convaincre qu'il n'y avait aucun assassin psychotique en cavale dans le quartier, lorsque j'ai entendu frapper à la porte. J'avais la peur au ventre. Je suis resté immobile et silencieux quelques secondes, parce que maman m'avait fait promettre de n'ouvrir à personne, de crainte qu'un pédophile soit de l'autre côté de la porte. Mais puisque j'apercevais nettement la silhouette corpulente de madame Economopoulos à travers le rideau en voile de la fenêtre située à côté de la porte, j'ai décidé d'affronter le danger. Je me suis levé et j'ai ouvert.

Madame Eco m'a tendu un plat de baklavas :

— Pas une seule arachide !

Je l'ai remerciée avec enthousiasme. Manger un de ses baklavas, c'est comme croquer dans un morceau de paradis, à la fois croustillant et moelleux.

— Ta maman est au travail ?

J'ai hoché la tête. Elle a jeté un coup d'œil à l'assiette que j'avais toujours à la main :

— C'est toi qui as préparé ça ? Ça a l'air dégoûtant !

J'ai cru bon de ne pas critiquer ma mère, alors je me suis contenté de répondre :

— Ça l'est, en effet.

Madame Eco a pris l'assiette et l'a déposée sur la table à côté de son plat de gâteaux.

— Viens manger avec nous. J'ai préparé une moussaka.

Je ne pouvais pas me permettre de la contredire, j'ai donc jeté le reste de poulet dans la poubelle (en prenant bien soin de le cacher sous de vieux déchets pour que maman ne voie rien), puis j'ai suivi madame Eco dans l'escalier.

— Vous êtes la meilleure cuisinière du monde ! ai-je dit à madame Eco en m'asseyant sur le canapé recouvert de la housse en plastique, pour regarder après souper *The Amazing Race* avec son mari.

Madame Eco m'a pincé une joue et m'a servi un autre biscuit au miel avant de retourner à la cuisine pour faire la vaisselle.

Je rotais de satisfaction en écoutant le résumé de l'émission de la semaine précédente lorsqu'on a sonné. Comme monsieur Eco était confortablement calé dans son La-Z-Boy, je lui ai proposé d'aller répondre.

— S'ils veulent de l'argent, claque la porte, m'a-t-il dit alors que je me levais.

Le gars à la porte ne semblait pas quêter. Il avait environ 25 ans, taille moyenne, avec des muscles qui jaillissaient de son tee-shirt noir ajusté. Il avait les cheveux bruns coupés ras, presque comme à l'armée, et il arborait le tatouage d'un crâne rieur sur son biceps droit. Il tenait un gros sac de sport et j'étais sur le point de dire à monsieur Eco de composer le 911 lorsque le type a ouvert la bouche :

— T'es qui, toi ?

Ça n'était pas ses affaires, alors j'ai répliqué :

— T'es qui, toi ?

Madame Eco est sortie de la cuisine en criant :

— Qui est-ce, Ambroise ?

Elle portait une assiette et quand elle a vu qui était à la porte, elle l'a échappée. Elle s'est cassée en centaines de petits morceaux sur le plancher.

Un cri aigu a accompagné la chute et j'espérais que monsieur Eco appellerait la police parce que madame Eco s'est précipitée sur l'inconnu. J'ai cru qu'elle allait le frapper, mais elle l'a plutôt enlacé très fort.

— Cosmo, mon bébé ! Mon bébé est revenu !

9

nier, rein, crin, miner, limer, mire, crie, miel, crime

CRIM(I)NEL

Maman a été surprise de me trouver assis sur le sofa à son retour. Je mourais d'envie de lui annoncer la nouvelle, alors pour rester éveillé, j'écoutais les disques de ma mère sur notre minichaîne depuis près de deux heures.

— Ambroise, pourquoi tu n'es pas couché? Ça va?

— Il est revenu.

— Qui ça?

— Cosmo, le fils des Eco, le récidiviste. Je suis monté chez eux pour souper, ils m'ont invité et il s'est pointé à la porte et puis il m'a demandé «T'es qui, toi?» et puis madame Eco a crié et puis elle l'a serré dans ses bras très fort et puis elle l'a frappé et puis...

— Wô les moteurs! Ça va?

Ça va? Parfois, ma mère ne comprend rien à rien.

— Très bien. Alors il se tenait debout sans bouger et il a laissé sa mère le frapper puis monsieur Eco est sorti et oh, là, là! Tu aurais dû voir comment il l'a regardé. Puis ils m'ont dit que je devais rentrer, alors je n'ai même pas su quelle équipe de *The Amazing Race* a été éliminée. Et puis je suis descendu ici, mais je les entendais et madame Eco a pleuré pendant longtemps.

Maman s'est affalée sur une chaise et a enlevé ses souliers.

— Et puis tu sais, il a vraiment l'air d'un ex-prisonnier. Une vraie brute. Des gros muscles, un tatouage, le crâne rasé. Ils lui ont probablement coupé les cheveux en prison. Et je ne sais toujours pas pourquoi ils l'ont mis là, mais je vais le découvrir...

— Non.

— Si, si, la prochaine fois que j'irai, je...

— Tu n'iras plus chez les Economopoulos, pas sans moi. Compris ?

Et tout à coup, je me suis rendu compte de mon énorme erreur. Je parlais à maman comme si elle allait voir comme tout ça était formidable. J'oubliais que je parlais à *ma mère*.

— Allez, maman...

— Je suis sérieuse, Ambroise. Nous n'avons aucune idée de ce que ce jeune homme a fait et je veux que tu te tiennes loin de lui.

— Mais maman, madame Eco cuisine super bien et la finale de *The Amazing Race* passe la semaine prochaine !

— Je ne reviendrai pas sur ma décision.

Elle est entrée dans sa chambre et a fermé la porte. Je savais que ça ne servirait à rien d'essayer de la raisonner : son « je ne reviendrai pas sur ma décision » signifiait en fait « je n'ai pas réussi à protéger ton papa et je ne commettrai pas la même erreur avec toi ».

Mais bien sûr, m'obliger à me tenir loin de Cosmo a eu le même effet que d'interdire à un bambin de lécher un poteau de clôture au milieu de l'hiver. La seule chose à laquelle il pense, c'est poser sa langue sur le métal gelé. *Qu'est-ce qui se passera ? Qu'est-ce que ça va goûter ? C'est vrai que ma langue va s'arracher quand je vais tirer pour la décoller ?* Cela devient une obsession et je le sais par expérience.

D'ailleurs, me tenir loin de Cosmo me demanderait beaucoup trop d'efforts : le type habitait juste au-dessus de chez moi.

Quatre jours plus tard, ma maman venait de partir travailler et j'étais assis à la table de la cuisine pour faire mes maths, quand j'ai entendu une auto arriver, une voiture très bruyante qui ne ressemblait pas du tout à la Ford Escort des Economopoulos. J'ai déposé mon crayon et je me suis dépêché de sortir. J'ai vu une auto sport rouge toute déglinguée dans l'entrée de garage. Cosmo, qui portait un jean décoloré et un blouson de cuir, en est descendu.

— On dirait que tu as besoin d'un nouveau silencieux, lui ai-je conseillé.

Cosmo m'a lancé un drôle de regard avant d'entrer dans le garage. J'étais sur le point de rentrer lorsqu'il est réapparu muni d'une éponge et d'un seau qu'il a rempli d'eau avec le boyau d'arrosage situé sur le côté de la maison.

— Tu laves ton auto ?

— Bien trouvé, Einstein.

— C'est quelle sorte d'auto ?

— Camaro 1991. Un ami l'a gardée dans son garage pendant que j'étais parti.

— Tu veux dire pendant que tu étais en prison.

Cette précision m'a valu un autre regard furieux. Il a sorti un paquet de cigarettes de sa poche et en a allumé une.

— C'est mauvais pour la santé, l'ai-je informé.

Il n'a fait aucun commentaire et s'est mis à laver sa voiture. J'étais debout et je l'observais. Ça ne me dérange pas de regarder les gens vaquer à leurs occupations, mais je me suis rendu compte que parfois ils n'aiment pas ça.

— Tu me donnes la chair de poule, a dit Cosmo après un moment.

— Pourquoi ?

— Tu n'as nulle part où aller ?

— Non.

Il m'a fixé comme si j'étais un extraterrestre et a ajouté :

— Ton pantalon est très intéressant.

Je portais mon pantalon en velours côtelé mauve, mon préféré.

— Merci. Je pourrais t'aider.

— Je n'en ai pas besoin, merci, a-t-il dit en prenant une longue bouffée.

— As-tu déjà pensé aux noms qu'ils donnent aux autos ? Comme Aspire : aspirer à quoi, à une meilleure voiture ? Ou encore E-Tron. Qui voudrait monter dans un étron ?

J'ai ri de ma propre blague, mais il n'a pas esquissé l'ombre d'un sourire. Il a simplement enlevé son blouson et a rincé le savon de sa bagnole, sa cigarette pendue aux lèvres. Je voyais bouger son tatouage pendant qu'il travaillait. Je lui ai demandé :

— Qu'est-ce que tu as fait ?

Il m'a fixé en plissant les yeux à cause du soleil.

— Pourquoi ils t'ont jeté en taule ?

Cosmo a levé un sourcil :

— En taule ?

J'ai hoché la tête.

— Est-ce que je devrais m'inquiéter pour ma propre sécurité ?

Il m'a étudié pendant quelques secondes, puis il a baissé le ton :

— Tu veux vraiment le savoir ?

J'ai hoché la tête à nouveau, malgré la peur qui me glaçait le sang.

Il a jeté un regard à gauche et à droite pour s'assurer que personne n'écoutait :

— On m'a enfermé parce que j'ai tué un garçon d'à peu près ton âge, un jeune qui posait trop de questions stupides. Un jour, j'ai craqué.

Puis, d'un geste rapide, il a saisi quelque chose qu'il a pointé dans ma direction et j'ai cru faire caca dans mes culottes. Je me suis penché, mais trop tard : il m'a atteint.

Avec de l'eau, l'eau du boyau d'arrosage. En quelques secondes, j'ai été complètement trempé.

Après avoir enlevé mes vêtements mouillés et les avoir cachés sous mon lit, pour éviter que maman me pose des questions, j'ai repris mes devoirs de mathématiques. Mais j'avais de la difficulté à me concentrer. J'étais pas mal certain qu'il s'était moqué de moi au sujet du meurtre du garçon, mais pas assez rassuré pour ne pas barricader notre porte avec une chaise. Histoire de ne courir aucun risque...

10

S A N S A S I

assis, sans, sain, sas, sais, nais, niais

ASSAS(S)IN

— Ouache, je suis trempée ! a dit maman.

Nous étions samedi et nous revenions avec des fruits et des légumes achetés à l'épicerie Golden Valley sur Broadway, où la dame m'offre toujours un bonbon que ma mère m'interdit d'accepter. Nous avions été surpris par une averse en rentrant, et ma mère en a beaucoup souffert parce qu'elle ne portait pas son imperméable.

On a frappé à la porte, pendant qu'elle se changeait dans sa chambre et que je rangeais nos achats.

— Tu peux répondre ? m'a demandé maman.

J'étais maintenant quasi certain que Cosmo s'était moqué de moi en prétendant qu'il avait tué quelqu'un. Mais, comme on n'est jamais trop prudent, j'ai saisi la première arme à portée de ma main — un filet rempli d'oranges —, je me suis approché lentement de la porte, en me demandant si je pensais vraiment arriver à contrecarrer les projets d'un assassin avec des agrumes.

Je ne voyais personne à travers le rideau de la fenêtre.

— Qui est là ? ai-je dit de ma plus grosse voix.

— Soula.

Il m'a fallu un moment pour me rappeler que c'était le prénom de madame Economopoulos. J'ai déposé les oranges pour lui ouvrir.

— Mon frère a tué un agneau et nous en a donné la moitié. Nous aimerions vous inviter à souper ce soir.

Maman et moi ne mangions pratiquement jamais de viande rouge. Ma mère avait des «problèmes de conscience» avec ça et de toute façon, nous n'en avions pas les moyens. Mais moi, j'adorais ça. Mon corps en réclamait. *Et si Cosmo m'avait dit la vérité ? Et s'il perdait encore la tête et que je devenais sa prochaine victime pendant le souper ? Est-ce que ça valait vraiment la peine de risquer ma vie pour quelques bouchées d'agneau ?*

La réponse allait de soi :

— Ça nous ferait plaisir, ai-je dit rapidement, avant que ma mère ne bricole un prétexte pour refuser. Elle venait de sortir de sa chambre et je voyais à son air qu'elle réfléchissait fort.

— Mais Ambroise, est-ce qu'on ne doit pas...

— Non-non-non. On n'a rien de prévu. Rien du tout.

Madame Eco a souri :

— Parfait, je vous attends à cinq heures et demie. Vous pourrez faire la connaissance de Cosmo. C'est un bon garçon, a-t-elle ajouté avec un sourire gêné.

Malgré le fait qu'il soit un assassin, ai-je pensé pendant que madame Eco sortait de l'appartement, même si je ne le croyais pas vraiment.

Aucune trace de Cosmo lorsque nous sommes montés pour souper. Maman a donné un pot de sa marinade maison, que j'appelle secrètement sa « merdinade » tellement c'est mauvais.

Nous avons discuté de tout et de rien dans le salon pendant quelques minutes. J'admirais leurs collections d'assiettes et de petites cuillères exposées sur le mur. Les Eco avaient allumé leur cheminée au gaz, ce qui éclairait et égayait la pièce, malgré la pluie continuelle dehors. Monsieur Eco a servi à maman un verre de leur vin maison et à moi, un Coke. J'étais heureux que maman ne se lance pas dans un de ses discours sur les boissons gazeuses qui n'ont aucune valeur nutritive, laïus qui dérive toujours sur sa grande théorie de la transformation du monde par les entreprises comme Coca-Cola.

Lorsque nous nous sommes assis pour manger, la table était mise pour cinq personnes.

— Est-ce que Cosmo vient? ai-je demandé.

Monsieur Eco a haussé les épaules comme pour s'excuser:

— Avec mon fils, on ne sait jamais.

— Vous devez être contents qu'il soit revenu, a dit maman qui visiblement tâtait le terrain.

Mais tout ce que monsieur Eco a répondu, c'est:

— Contents, oui.

— C'est un bon garçon, a précisé madame Eco pour la deuxième fois de la journée.

Le repas était extraordinaire. Il y avait de l'agneau grillé sur le barbecue, des pommes de terre rôties et ce plat d'épinards spécial qui m'a fait vraiment aimer ce légume. Ma mère n'a pas pu résister à la tentation de demander à madame Eco si elle était bien sûre qu'il n'y avait aucune arachide nulle part. À ce point-là, ça m'a semblé légèrement vexant, mais madame Eco a rassuré ma mère d'un ton gai. Les Economopoulos ont même goûté chacun une bouchée de la marinade de maman et lui ont dit qu'elle était délicieuse.

J'admirais le gros lustre suspendu au-dessus de la table, lorsqu'on a entendu la porte s'ouvrir. Monsieur Eco a crié:

— Cosmo, veux-tu manger?

Personne n'a répondu. J'ai aperçu le dos de Cosmo, tandis

qu'il passait dans le couloir. Monsieur et madame Eco se sont lancé un regard inquiet et j'ai deviné en voyant le sourire crispé de ma mère qu'elle se sentait mal à l'aise. Puis, monsieur Eco a soulevé l'assiette remplie d'agneau et a demandé :

— Qui veut une deuxième portion ?

Bien entendu, j'ai répondu :

— Moi !

Après souper, monsieur et madame Eco nous ont fait passer au salon. Monsieur Eco a servi de l'ouzo à maman (une liqueur grecque qui sent l'anis) et m'a donné un deuxième Coke, tandis que sa femme nous a tendu un plateau rempli de meringues maison blanches et roses.

Nous nous sommes assis sur le canapé recouvert de plastique couinant et rapidement, les adultes se sont lancés dans une longue discussion sur le marché de l'immobilier à Vancouver. Maman se plaignait qu'elle ne serait jamais capable d'acheter une résidence ici, ce que j'ai trouvé ironique et même hypocrite parce qu'en vérité, nous ne pouvions rien acheter nulle part avec son salaire. Ce n'est pas une plainte, c'est juste un fait. Madame Eco a expliqué qu'ils avaient acheté leur maison à la fin des années 1970 quand les prix étaient plus abordables. La conversation était plutôt plate, alors je me suis évadé en pensée. J'ai mangé une deuxième meringue, rose cette fois, accompagnée de boisson gazeuse. Puis, j'ai réfléchi à tous les mots que l'on pouvait former avec les lettres du nom « Economopoulos » (*monocles, poules, compose, consume, coupons, souple, soupe, moulons*). Je venais de trouver *couples* lorsque j'ai poussé un rot tonitruant et tout à fait inattendu. Ma mère s'est exclamée :

— Ambroise !

— Je suis vraiment désolé. C'est à cause du Coke.

Ce qui m'a fait réaliser que j'avais très, très envie d'aller pisser. Par contre, je savais que les toilettes se trouvaient au bout du même couloir où était allé Cosmo, et que je risquais de le croiser. Je me suis retenu tant que j'ai pu et j'ai même pensé à faire un sprint jusqu'à la salle de bains chez nous, mais je ne savais pas comment l'expliquer. Alors, j'ai fini par m'excuser et j'ai couru jusqu'aux toilettes en passant par le couloir décoré d'une autre collection de petites cuillères.

J'ai verrouillé la porte et j'ai uriné durant cinq minutes sans arrêt. J'ai fait autre chose aussi, parce que lorsqu'on n'est pas habitué à manger beaucoup de viande, il arrive qu'on la digère mal.

Lorsque je suis sorti, j'ai aperçu Cosmo. Il était dans sa chambre devant un ordinateur portable. C'est comme s'il n'avait pas pris la peine de la redécorer depuis son adolescence. Les murs arboraient toujours des affiches de Guns N' Roses et une autre, pratiquement grandeur nature, de Pamela Anderson au-dessus de son lit.

J'ai admiré Pam durant un moment, ce qui m'a donné des fourmillements. J'ai tenté de voir ce qu'il y avait sur l'écran de l'ordi de Cosmo, mais son dos me bloquait. J'ignore pourquoi, mais je voulais voir ce qu'il regardait. En fait, je *sais* pourquoi : j'espérais qu'il serait en train d'admirer des photos de femmes toutes nues, peut-être même celles de Pamela Anderson à poil. Je ne pensais pas vraiment qu'il avait tué un enfant, mais je me suis dit qu'il n'essaierait pas de m'assassiner alors que ses parents et ma mère étaient au bout du couloir. Je suis donc entré dans sa chambre.

Ce que j'ai vu sur l'écran m'a déçu et surpris à la fois. Il était au beau milieu d'une partie de scrabble en réseau.

— Tu joues au scrabble?

Cosmo a pratiquement bondi de sa chaise:

— Nom de Dieu, n'espionne pas les gens comme ça!

— Je joue au scrabble moi aussi.

— Super.

Mais il n'a pas répondu avec sincérité. Il s'est remis à jouer.

— Je suis pas mal bon.

Il s'est tu. Je le voyais scruter ses lettres: «U, A, Q, C, R, I, E». Il a fini par former le mot «TIQUE» en reliant ses propres lettres à un «T» qui se trouvait sur la planche. Le «I» se trouvait sur une case «mot compte double», ce qui lui a valu 24 points.

— Hum, ai-je dit.

— Hum? Ça veut dire quoi, hum?

— Rien.

— Est-ce qu'on t'a déjà dit que tu étais achalant?

— Oui.

— J'imagine que tu rends tes profs complètement fous.

— Je n'ai pas d'enseignants.

— Qu'est-ce que tu racontes?

— Je ne vais pas à l'école.

Il s'est détourné de son écran pour me regarder:

— Comment ça, tu ne vas pas à l'école? Tout le monde va à l'école.

— Je fais l'école à la maison. En fait, j'étudie par correspondance.

— Des cours par correspondance au beau milieu de Vancouver, alors qu'il y a des écoles partout!

— J'allais dans une vraie école jusqu'au mois dernier.

— Qu'est-ce qui s'est passé?

— Trois gars ont essayé de me tuer.

Cosmo a ri. C'était évident qu'il ne me croyait pas :

— Dommage qu'ils aient raté leur coup.

Il a repris son jeu.

— As-tu commencé à jouer au scrabble en prison ?

— Ça ne te regarde pas.

— Je joue avec ma mère depuis que j'ai huit ans.

— Formidable. Maintenant, écoute : il faut vraiment que je me concentre sur mon prochain tour.

C'est à ce moment que l'autre joueur a écrit « ZOOS » avec le « Z » sur une case « mot compte triple » et en ajoutant un « S » à la fin du mot « TIQUE » de Cosmo, ce qui lui a donné un total de 52 points.

— Merde, s'est exclamé mon voisin.

— Tu aurais dû jouer « ARCTIQUE » à la place. Tu avais toutes les lettres. Tu aurais fait 34 points plutôt que 24 et ton adversaire n'aurait pas pu faire un « mot compte triple ».

Cosmo m'a fixé.

— Tu lui as pratiquement servi le mot « ZOOS » sur un plateau d'argent, ai-je ajouté.

C'est à ce moment que Cosmo m'a lancé son *Dictionnaire officiel du Scrabble* à la tête et que j'ai crié de peur, et non de douleur. Maman est accourue. Même si j'ai dit que tout se passait bien, elle a remercié les Economopoulos pour la merveilleuse soirée, mais elle a prétendu que je devais aller me coucher, ce qui était très gênant parce qu'il était à peine huit heures.

De chez nous, j'ai perçu des éclats de voix et un claquement de porte chez les proprios. Puis, j'ai entendu crisser les pneus de la Camaro de Cosmo, même si j'étais presque sûr qu'il n'avait pas terminé sa partie en ligne.

Ce qui était de toute évidence une bonne chose parce qu'il était sur le point de se faire massacrer au scrabble.

usés, lésés, lues, seules, élues

ESSEULÉ

À mon réveil le lendemain, je suis sorti de ma chambre sur la pointe des pieds. Je portais toujours mon pyjama avec des fusées, qui me remontait en haut des chevilles. Je pensais m'allonger sur le canapé pour lire un peu et manger une rôtie pendant que maman dormait (elle paresse au lit un peu plus longtemps le dimanche matin).

J'ai donc été très surpris de la voir assise à la table de la cuisine, en train de boire dans la tasse «MEILLEURE MAMAN AU MONDE», que je lui avais achetée trois ans auparavant à une vente-débarras pour 25 cents. Elle lisait le *Courrier,* un journal gratuit livré à notre porte deux fois par semaine. Je me suis servi un bol de flocons de céréales multigrains Sans Nom avec des rondelles de banane et je me suis assis à côté d'elle. Elle consultait les petites annonces à la rubrique «APPARTEMENTS À LOUER».

— Oh non, maman...

— Je ne me sens pas en sécurité sous le même toit que ce jeune homme.

— Mais on ne sait même pas ce qu'il a fait.

— Peu importe, il a été condamné à la prison, alors ça ne présage rien de bon. Je n'en reviens pas comme les appartements coûtent cher, a-t-elle ajouté en prenant une gorgée de café.

Nous avons passé la matinée à faire la lessive. Les Economopoulos nous avaient offert un million de fois d'utiliser leur laveuse, mais ma mère ne voulait rien savoir, et ne s'imaginait pas une seconde aller frapper à leur porte et traverser leur maison pour faire une brassée. Alors, toutes les fins de semaine, on traînait un chariot plein de linge sale jusqu'au lavoir automatique à l'angle de Broadway et Collingwood. Après le lavage, nous avons visité quelques ventes-débarras. Maman a trouvé un superbe chandail en tricot câblé et moi, d'anciennes bandes dessinées de *Spiderman* et un cerf-volant. Puis, nous avons marché jusqu'à la plage Jericho parce que, pour la première fois depuis longtemps, il faisait beau. Nous avons essayé de faire voler le cerf-volant. La ficelle s'est emmêlée dans un arbre et nous avons dû l'abandonner, mais au moins, il n'avait coûté que cinquante cents.

Ce soir-là, nous nous sommes préparé une pizza — mon repas préféré — et maman m'a même permis de mettre du pepperoni sur ma moitié. Quand ma mère a eu fini de corriger sa pile d'examens, nous avons joué au scrabble. J'ai gagné 272 à 203, grâce au mot « KIWI » sur une case « mot compte triple » et « JAVA » sur une autre. Ma mère n'a bu que de l'eau parce que l'ouzo de la veille l'avait rendue légèrement malade. Tout compte fait, nous avons passé une très belle journée.

Et puis décembre est arrivé. Nous avons acheté un petit sapin riquiqui comme celui dans *Charlie Brown,* nous l'avons ensuite décoré avec tous nos ornements bricolés au fil des ans. Nous avons confectionné des guirlandes de maïs soufflé et je me suis piqué le pouce des trillions de fois avec l'aiguille. Nous avons accroché des flocons de neige en papier à la porte.

J'aimais marcher sur Broadway entre la librairie et la pharmacie où sont suspendus les plus jolis éclairages de Noël. Quand je plissais les yeux, les lumières bleues s'embrouillaient et Noël ressemblait à ce à quoi il devait ressembler.

Le jour de Noël, ma mère m'a offert une tuque multicolore, surmontée d'un énorme pompon qu'elle avait tricotée elle-même. Elle m'a aussi donné des chaussettes, des sous-vêtements et deux nouveaux livres : *Cœur d'encre*, de Cornelia Funke et *Voyage à Birmingham*, de Christopher Paul Curtis. Nana Ruth nous a envoyé des chèques : vingt dollars pour moi et cent pour maman.

J'ai offert à ma mère un cadre que j'ai fabriqué avec un kit acheté au magasin d'artisanat sur Broadway. Je l'ai décoré avec toutes sortes d'objets trouvés comme de la mousse et des fleurs séchées. Dedans, j'ai mis une photo de nous deux. Elle a eu les larmes aux yeux quand elle a ouvert mon cadeau.

Nana Ruth nous a appelés. Après lui avoir parlé poliment pendant dix minutes, maman m'a passé le téléphone et j'ai discuté pendant plus d'une demi-heure avec ma grand-mère. Je me suis emballé. C'était si bon d'entendre sa voix. Je lui avais posté un cadre à elle aussi, avec la même photo de ma mère et moi. Elle était contente :

— Je l'adore. Je l'ai posé sur le piano. Ici, je le verrai tous les jours.

— Tu me manques, Nana.

— Tu me manques aussi, Ambroise. C'est comment, à Vancouver ?

— Pas mal, mais il pleut beaucoup.

— Eh bien ici, il grêle, alors la pluie, c'est peut-être mieux.

— Quand viendras-tu nous rendre visite ?

Il y a eu un silence puis elle a répondu :

— Je ne sais pas, chéri. Bientôt, j'espère.

Je me sentais tristounet après avoir raccroché. La maison était très calme parce que nous étions seuls. Les Economopoulos, y compris Cosmo, étaient partis chez le frère de monsieur Eco à Maple Ridge la veille de Noël et ils y restaient jusqu'au 26.

Nous avons écouté de la musique des fêtes pour remplir le silence et nous avons déjeuné tard. Pour digérer nos crêpes, nous avons fait une longue promenade sur la plage, puis nous sommes rentrés et avons bu un chocolat chaud. Pour souper, maman a préparé une poitrine de dinde, parce que ça ne sert à rien de cuire une dinde entière seulement pour nous deux. Pour une fois, elle ne l'a pas trop cuite et c'était très bon. Au dessert, nous avons mangé de la tarte à la citrouille garnie de crème fouettée en aérosol. Une vraie gâterie. Nous avons fait une autre promenade dans le quartier pour digérer. J'ai admiré les décorations de Noël et j'ai jeté un œil à toutes les fenêtres joliment ornées où je pouvais voir des familles et des amis, qui avaient du plaisir à se retrouver. Quand nous sommes rentrés, nous avons regardé *La vie est belle* à Radio-Canada, un vieux film qui passe chaque 25 décembre depuis que je suis né. Nous avons ouvert une bouteille de champagne — pas du vrai parce que c'est trop cher — et maman m'a même permis d'en boire une demi-coupe.

Vers onze heures, je me suis couché. J'ai salué mon père sur la photo et je lui ai souhaité un joyeux Noël.

Puis, je me suis caché la tête sous l'oreiller pour que ma mère ne m'entende pas. J'ai pleuré un peu, parce que même si nous avions passé une journée vraiment chouette, je ne m'étais jamais senti aussi seul de toute ma vie.

12

C₃ O₁ R₁ U₁ S₁ S₁ E₁

ours, ruses, russe, cure, cours, rousse, cœurs, sources

SECOURS

J'ai repris ma routine et mes cours par correspondance à la mi-janvier. Je m'ennuyais à mourir. L'effet de nouveauté s'était définitivement évanoui. Je ne parlais à personne de la journée, sauf à maman et, une fois par semaine, à une cyberprof. Le soir, quand ma mère partait travailler, je me sentais seul dans l'appartement. Elle m'avait interdit d'aller chez les Economopoulos.

Les jeudis, un peu avant deux heures, nous allions à l'école élémentaire des Cyprès pour que je puisse « parler » par ordinateur avec mon enseignante. Ma vie était alors si plate que cette sortie était devenue le seul moment fort de ma semaine. Ce jour-là, je portais un grand chandail qui avait appartenu à mon père, par-dessus un tee-shirt, pour éviter que la laine ne m'irrite.

Par bonheur, les corridors étaient déserts à notre arrivée à l'école. J'ai inspiré profondément pour humer l'odeur des livres, la transpiration et toutes les senteurs typiques d'enfants. Aussi étrange que cela paraisse, j'avais la nostalgie : pas celle d'être maltraité, mais celle de faire partie de quelque chose de plus grand que ma petite personne.

Monsieur Acheson est venu au laboratoire d'informatique pour nous saluer et nous demander des nouvelles de notre congé de Noël. J'ai trouvé ça bizarre, parce que ce type ne m'avait pas dit deux mots pendant tout le temps où j'avais fréquenté son école. Maintenant, il se faisait un devoir de venir me faire un brin de causette chaque fois que j'y étais.

— Comment vas-tu, Ambroise?

— Bien.

Ce jour-là, il portait sa cravate Homer Simpson. Quand il s'est penché vers moi, j'ai pu voir les poils dans ses narines. Il y en avait des tas.

— Jusqu'ici, ça va les cours par correspondance?

— Je pense bien.

— Et vous, Irène, ça se passe bien?

Je m'attendais à ce que ma mère lui rappelle de l'appeler *madame* Bukowski, mais elle a plutôt répondu:

— Oui Bob, ça va bien jusqu'à maintenant. Merci de vous en inquiéter.

Bob?

Bob s'est adressé à ma mère pendant que j'ouvrais ma session sur l'ordi:

— J'ai trouvé des textes sur l'éducation par correspondance sur Internet et je les ai imprimés pour vous. Avez-vous quelques minutes pour passer à mon bureau?

J'ai levé les yeux vers maman qui, pour une raison inconnue, avait rougi.

— Bien sûr. Ambroise, je peux te laisser?

— Pas de problème, à moins que les autres ordinateurs décident de lancer une attaque, je ne devrais pas avoir d'ennuis, ai-je dit, déçu en voyant qu'aucun des deux ne riait de ma blague.

Maman et *Bob* ont quitté la salle et je me suis mis au travail. Comme il faisait chaud, j'ai enlevé mon chandail. J'avais beaucoup de questions aujourd'hui et ma cyberprof m'a fait des commentaires au sujet d'une recherche sur la Mésopotamie, que j'avais remise la semaine précédente. Quand j'ai terminé, j'ai remarqué que c'était presque la fin des cours, mais ma mère n'était toujours pas de retour. J'ai couru vers le bureau du directeur. La porte était ouverte, mais il n'y avait plus personne à l'intérieur.

Puis la cloche a sonné. Et je me suis rendu compte que j'avais oublié mon chandail dans le labo d'informatique. Et puis, j'ai remarqué aussi que j'avais enfilé par erreur un tee-shirt de maman qui avait abouti dans ma commode, sur lequel était écrit à l'avant en lettres énormes « MEILLEURE MAMAN DU MONDE »...

Personne ne devait me voir ainsi. Je suis donc sorti à toute vitesse de l'école et j'ai sprinté à travers le terrain de soccer. Mes Reebœrk n'ont pas réussi à faire de moi un bon coureur et quelques secondes plus tard, j'ai entendu derrière moi des pas qui s'approchaient dangereusement. Puis une main m'a agrippé l'épaule.

C'était Troy.

— Si c'est pas Frambroise! a-t-il lancé en laissant tomber son ballon de soccer et en avançant vers moi.

— Eh, salut, Troy! Ça gaze?

— Pourquoi des mots normaux ont l'air complètement débiles quand c'est toi qui les dis? a demandé Troy, tandis que Mike et Josh ont surgi à ses côtés.

Mike a dit:

— Regardez son tee-shirt!

Évidemment, ils ont tous éclaté de rire.

— Tu es une *vraie* tapette, a ajouté Josh en faisant un geste du poignet et en se dandinant, comme il s'imagine que font les homosexuels.

— Je vais vous laisser jouer, ai-je dit en essayant en vain de les contourner.

— Grâce à toi, j'ai été en punition pendant trois mois, a dit Josh.

— Et moi, je n'ai pas pu jouer à la Wii durant trois semaines, a ajouté Troy.

— Ben, c'est parce que vous avez failli me tuer...

— C'était de ta faute, maudit menteur..., a dit Mike en me poussant avec une telle force que je suis tombé au sol.

Quand j'ai voulu me relever, Troy m'a donné un coup de pied et je suis retombé.

— Allez, les gars! On oublie tout! Pas de rancune.

— Tais-toi, m'a ordonné Josh.

Il m'a lancé un grand coup de pied dans le ventre et même s'il ne portait que des souliers de course, j'ai eu vraiment mal. Mike s'est penché, il m'a enlevé mes Reebœrk et les a jetés dans la poubelle à l'autre bout du terrain. Puis, les trois m'ont roué de coups. Je me suis mis à pleurer parce que rien de tel ne m'était arrivé avant... Enfin, seulement deux fois : à Regina et à Kelowna. Mais ce n'était pas aussi douloureux. Alors je me suis roulé en boule pour me protéger. Puis, j'ai perçu un bruit strident, et je me suis rendu compte seulement plus tard que c'était mon propre cri.

Tout à coup, j'ai entendu un ange (pas vraiment en fait, parce que c'était une grosse voix méchante qui sacrait):

— Eh, foutez le camp espèces d'h... de brutes sans génie! Lâchez-le!

Les coups ont cessé. J'ai jeté un coup d'œil et j'ai aperçu Cosmo qui avançait à grandes enjambées en montrant ses poings. Je n'étais pas le seul à croire qu'il faisait vraiment peur à voir parce que Troy, Mike et Josh ont détalé dans la direction opposée aussi vite que leurs jambes le leur permettaient.

Cosmo m'a aidé à me relever. Je grelottais parce que je ne portais qu'un tee-shirt sous la pluie, en plein mois de janvier, mais aussi parce que j'étais encore terrorisé.

— Tu m'as sauvé la vie.

— Tu exagères.

Je me suis tâté le visage et le corps. Je ne semblais pas saigner, mais j'avais mal partout, surtout au ventre.

— Qu'est-ce que tu leur as fait?

— Ils me détestent, ai-je répondu en haussant les épaules.

Cosmo a hoché la tête comme s'il comprenait:

— Tu as le don de faire sortir la méchanceté des gens.

Puis il a aperçu ce qui était écrit sur mon tee-shirt:

— Seigneur, tu le fais exprès?

— C'est une erreur, je n'avais pas remarqué ce qui était écrit dessus.

J'ai vu qu'il se retenait, mais il a fini par éclater de rire:

— Où sont tes souliers?

Je me suis dirigé vers la poubelle pour les récupérer.

— Peux-tu marcher jusqu'à chez toi? m'a-t-il demandé pendant que je me chaussais.

J'ai acquiescé puis tout à coup, j'ai éclaté en sanglots comme un bébé géant:

— Excuse-moi, ça fait vraiment mal.

À ma grande surprise, Cosmo est redevenu sérieux. Il a mis une main sur mon épaule et a dit:

— Ouais, j'imagine. Viens, je te raccompagne.

Nous sommes passés par la ruelle pour éviter de croiser ma mère, mais en ouvrant la clôture de la cour, je l'ai aperçue qui entrait chez nous :

— Oh non, ai-je gémi. Il ne faut pas qu'elle me voie comme ça. Elle va devenir folle.

Cosmo n'a rien dit. Il m'a fait entrer chez lui. Ses parents n'étaient pas là. Il m'a dit d'aller à la salle de bains pour nettoyer mes éraflures aux coudes et au visage. Il est même retourné à l'école pour récupérer mon chandail, comme ça, j'ai pu l'enfiler pour cacher mon tee-shirt abîmé. Je ne lui ai pas dit qu'il avait appartenu à mon père et que si je l'avais perdu, je m'en serais voulu pour le restant de mes jours.

Quand je suis sorti des toilettes, Cosmo regardait le sport sur la télé du salon.

— Merci encore, Cosmo.

— Tu devrais apprendre à te défendre, a-t-il répondu sans me regarder.

Je ne savais pas quoi répondre. *Comment pourrais-je apprendre à me protéger ?* Maman n'avait pas d'argent pour me faire suivre des cours de karaté ou de boxe ou de n'importe quoi et, même si elle en avait les moyens, elle ne me le permettrait jamais de crainte que je me blesse, ce qui, à bien y penser, est plutôt ironique. Je me suis donc contenté de répondre :

— Ouais.

Je suis descendu chez nous juste à temps pour saluer ma mère avant son départ pour l'université. Elle s'était inquiétée à mon sujet, mais je lui ai dit que j'étais parti à sa recherche, et elle, elle m'a dit qu'elle était partie à ma recherche, alors on a convenu qu'on s'était ratés.

Après coup, je me suis rendu compte que je n'avais pas du tout eu peur de Cosmo. Je n'ai jamais craint qu'il me tue pendant que nous étions seuls chez lui. Et il n'avait pas essayé de faire ces choses dégueulasses contre lesquelles ma mère me met en garde depuis des années comme a) me tripoter le pénis ou b) me demander de tâter le sien.

En fait, pour un criminel, il ne semblait pas méchant du tout.

13

lime, mule, lie, huile, lieu, milieu, hume

HUMILIÉ

Le lundi suivant, en regardant par la fenêtre, au saut du lit, je n'ai pu m'empêcher de crier :

— Soleil !

Debout sur mon lit, j'ai aperçu une mince bande de ciel bleu. Je me suis précipité dans la chambre de ma mère. Elle dormait encore, mais je n'ai pas pu me retenir :

— Maman, il fait soleil !

Elle a ouvert les yeux avec peine en esquissant un sourire :

— Il faut que je le voie de mes propres yeux !

Nous nous sommes habillés pour aller dehors tout de suite après le déjeuner. Maman a annoncé :

— Au diable les corrections et les travaux d'école. On pourra s'y mettre plus tard.

C'était formidable de la voir si joyeuse.

En sortant, nous avons tous deux cligné des yeux comme des taupes émergeant de leur terrier.

— Tiens, on va se balader dans le quartier et on s'offrira un chocolat chaud après, a annoncé maman.

Nous avons eu une discussion agréable. Je lui ai posé des questions sur ses cours à l'université :

— Le meilleur étudiant ?

— Facile. Une jeune en génie mécanique. Elle s'appelle Annabelle. Elle suit mon cours seulement parce qu'elle a besoin d'un certain nombre de crédits en sciences humaines, mais elle est très brillante et manie la langue avec un grand talent... J'aimerais bien qu'elle se réoriente, mais elle aura beaucoup plus de facilité à trouver un boulot avec un diplôme en génie qu'avec un doctorat en littérature. Regarde-moi!

Je lui ai jeté un coup d'œil, mais elle arborait un beau sourire.

— Le pire?

— Facile aussi, a-t-elle répondu en riant. Carl, il fait un baccalauréat spécialisé en mathématiques. J'espère qu'il a plus de talent avec les chiffres qu'avec les mots... Il n'arrive même pas à former une phrase, encore moins à exprimer une pensée cohérente. Mais le pire, c'est qu'il s'en fiche complètement.

— Des amis?

— Des amis?

— T'es-tu fait des amis?

— Oh oui! Jane, une autre chargée de cours. On prend parfois un café ensemble à la pause.

J'étais ravi de l'apprendre, surtout parce que maman me ressemble pour ce qui est de l'amitié: nous n'avons pas beaucoup de talent pour nous faire des copains. Je me réjouissais qu'elle ait une copine, même si moi, j'avais échoué sur ce plan.

Après notre promenade, nous nous sommes arrêtés chez Yoka, un petit café sur Broadway. Maman est entrée pour aller chercher nos boissons pendant que je profitais du soleil sur le trottoir. Je lisais les annonces affichées sur un poteau devant moi. La plupart signalaient des concerts rock ou des manifestations politiques. Toutes, sauf une:

« VOUS AIMEZ JOUER AU SCRABBLE? ALORS, VENEZ VOUS JOINDRE À NOUS AU CLUB DE SCRABBLE DE L'OUEST LES MERCREDIS SOIRS À 19 HEURES À L'ÉGLISE UNIE. » Il y avait une adresse et un numéro de téléphone. Comme je n'avais rien pour écrire, j'ai regardé rapidement autour de moi pour m'assurer que personne ne m'épiait, puis j'ai arraché l'annonce pour la fourrer dans ma poche.

Plus tard, j'ai attendu que maman parte au travail, puis j'ai frappé à la porte des Economopoulos. C'est madame Eco qui m'a répondu :

— Comment vas-tu, Ambroise? Ça fait longtemps qu'on t'a vu!

— Cosmo est-il là?

Elle a eu l'air intriguée, mais elle a disparu dans le corridor. Je l'ai entendue crier à son fils qu'il avait un visiteur.

Il a fallu quelques minutes pour que Cosmo surgisse. Il portait une camisole blanche et un short boxeur. Avec ses cheveux ébouriffés, on aurait dit qu'il sortait du lit.

— Qu'est-ce que tu veux?

— Travailles-tu de nuit?

Il m'a semblé confus :

— Non, pourquoi?

— On dirait que tu viens de te réveiller. Il est cinq heures de l'après-midi. Tu ne devrais pas être en train de te chercher un boulot?

Il a voulu fermer la porte, mais je me suis glissé à l'intérieur de la pièce pour l'en empêcher.

— J'imagine que c'est difficile avec un dossier criminel, hein?

Il m'a lancé un regard assassin :

— La prochaine fois que je verrai ces brutes te tabasser, j'irai les aider.

— Tu ne le penses pas vraiment, ai-je dit en lui remettant l'annonce que j'avais arrachée le matin.

— Pourquoi tu me montres ça?

— Je pense qu'on devrait y aller ensemble.

— *Tu* penses que *nous deux* on devrait y aller? Toi et moi? Un club de scrabble?

— Je ne peux pas y aller à pied, c'est trop loin. Mais toi, tu peux conduire.

Il a éclaté de rire:

— Tu es un drôle, toi. Tu ne le sais pas, mais tu l'es. Tu dois être légèrement autiste, genre.

— Va te faire voir.

C'était méchant. Et faux, j'en suis pas mal sûr. Je n'étais *pas* autiste (*usé, eu, au, ase, tas, tau, saut, sauté, suit, tâte*). Je le savais, j'avais vu le film *Rain Man*.

— Écoute, ti-cul, je ne veux pas te faire de peine, mais je n'irai pas passer mes soirées avec une gang de *nerds* à lunettes.

— Allez, on va s'amuser. Et on ne peut pas dire que tu es très occupé, ai-je ajouté en indiquant son caleçon et sa camisole qui, en y regardant de plus près, étaient tachés. Si je peux me permettre, tu devrais prendre une douche. Tu sens un peu le...

— Salut, Ambroise.

— Vas-tu y penser?

— Non.

— S'il te plaît! Si tu ne viens pas, je ne pourrai pas y aller non plus. Quelqu'un doit m'amener en auto parce que...

— Wow! Regarde la poitrine de cette poulette-là! a-t-il dit la bouche grande ouverte en fixant quelqu'un derrière moi.

Je me suis retourné pour admirer le beau pétard en question, mais je n'ai vu qu'un vieil homme qui promenait son basset.

— De qui tu parles ? Je ne...

Il a claqué la porte derrière moi.

Quand ma mère est partie travailler le mercredi, elle m'a prévenu qu'elle arriverait plus tard qu'à l'habitude :

— Je vais prendre un verre avec Jane après le travail.

— Pas de problème.

J'ai lu quelques pages de *Voyage à Birmingham,* puis je me suis forcé à mastiquer le plat de thon au four caoutchouteux que maman m'avait préparé. Après, j'ai mis mon imper et mon chapeau, et je suis allé marcher sur Broadway sous la pluie, avec le reste de mon repas dans un pot de yogourt en plastique, pour le donner à Pasteur Paul. C'est un sans-abri qui s'assoit souvent à l'entrée de la pharmacie, beau temps, mauvais temps. Je le saluais toujours quand nous passions devant lui, même si maman n'aimait pas ça.

— Comment allez-vous, Pasteur Paul ?

— Pas mal, mon gars.

Je pense qu'il ne se souvenait pas de mon nom, même si je le lui répétais chaque fois que je le voyais, mais ça ne me dérangeait pas.

— Aimez-vous le thon en casserole ?

— Est-ce qu'il y a des carottes ?

— Ouais, mais vous pouvez les enlever.

Il a hoché la tête et a pris le pot. Je lui ai dit :

— Désolé, je n'ai pas de fourchette.

— Pas grave, je vais prendre des baguettes au restaurant chinois.

J'ai souhaité bonne nuit à Pasteur Paul et j'ai fait demi-tour pour rentrer à la maison. À quelques pas de chez nous, j'ai aperçu Cosmo dans l'entrée de garage en train de parler à un homme, debout à côté de sa Camaro. En m'approchant, j'ai remarqué que le type était un peu plus âgé que mon voisin et qu'il avait l'air plus méchant.

— Quoi ? Tu n'as pas le temps de prendre un verre avec ton meilleur ami ? a dit l'inconnu d'une voix éraillée.

Il avait de longs cheveux fins attachés par un élastique et il portait un blouson de moto en cuir noir. Il était corpulent et tout en muscles.

— Ce n'est pas ça, Silvio. J'essaie de me tenir du bon côté cette fois-ci, tu comprends ?

— Mais ce n'est pas aussi simple, hein ? a répliqué Silvio d'un ton qui semblait menaçant, en tout cas pas le ton d'un bon ami. Il nous reste certaines choses à régler.

— Je sais et je m'en occupe. Mais je ne veux pas retourner là-bas, Sil...

— Ça ne dépend pas que de toi, mon homme. Allez, juste un verre.

— J'irai prendre un café avec toi demain.

— Un café ? a ricané Silvio, mais on voyait bien qu'il ne trouvait pas ça drôle.

— C'est moi qui ai écopé cette fois-là, Sil. Ça ne te suffit pas ?

— Ce n'est pas ma faute si tu as fait le travail sans moi.

— Tonton Cosmo ?

C'était moi. Les mots sont sortis de ma bouche tout seuls.

Les deux hommes se sont retournés.

— Tu es prêt à me reconduire au club de scrabble ? Ça commence dans une demi-heure.

Cosmo était si surpris qu'il n'a rien répondu.

— Tu as un neveu ? a demandé Silvio.

— Allez, mononcle Coz, je vais être en retard.

Cosmo a retrouvé la voix :

— Bien sûr, mon gars. Saute dans l'auto.

Je suis donc monté dans la Camaro. J'ai entendu Silvio dire :

— Bon, eh bien, je vais revenir.

— Pas de problème, Sil.

Cosmo est monté, il a démarré et nous sommes partis.

L'intérieur de la voiture était impeccable. Il y avait un désodorisant en forme de sapin, suspendu au rétroviseur, qui se balançait pendant qu'on roulait. Cosmo ne conduisait pas exactement en douceur, mais comme maman et moi n'avions jamais eu d'auto et que nous prenions toujours l'autobus, j'ai décidé de bien me caler dans mon siège, de me détendre et de savourer l'expérience.

Nous n'avons rien dit pendant quelques minutes, puis Cosmo a rompu le silence :

— *Mononcle Coz* ?

J'ai haussé les épaules :

— Coz, Cosmo, peu importe comment on le dit, c'est un drôle de nom.

— Pardon ?

— Pas drôle au sens de « ha, ha », drôle comme « bizarre ». Bizarre comme mon nom, Ambroise.

— Non, Ambroise, c'est drôle « ha, ha ».

— Non, c'était le nom de mon père.

— Laisse-moi deviner : il est parti parce que tu étais trop pénible.

— Non, il est mort.

C'est stupéfiant l'effet de ces trois petits mots sur les gens quand c'est un ado de mon âge qui les prononce. Parfois, j'ai presque du plaisir à observer les réactions. Ce n'était pas différent pour Cosmo. Il s'est tu, puis a dit :

— Je suis désolé.

— Ça va. Je n'étais même pas né.

— Qu'est-ce qui lui est arrivé ?

— Un anévrisme au cerveau qui a fait *pop* un beau matin.

— Est-ce que c'est pour ça que ta maman est toujours aussi stressée ?

Je ne l'avais jamais considérée sous cet angle-là, mais j'ai répondu :

— J'imagine que oui.

— Elle n'a jamais rencontré personne d'autre ?

— Pas vraiment. Elle est sortie avec un professeur pendant un certain temps à Regina, quand j'étais plus jeune. Phil. Je l'aimais bien. Mais un jour, elle n'a plus répondu à ses appels.

— Hum.

— Puis il y avait un type à Kelowna, mais elle est sortie avec lui deux fois seulement.

— Vous avez déménagé souvent.

— Elle est chargée de cours, ai-je dit en haussant les épaules. C'est un genre de professeur sans sécurité d'emploi. On doit aller là où il y a du travail.

Je ne lui ai pas expliqué qu'à l'exception de la fois où on l'avait renvoyée, c'était généralement ma mère qui décidait de donner sa démission quand, au bout de deux ou trois ans, elle se rendait compte qu'on ne lui offrirait jamais de poste à temps plein. Alors, elle se trouvait un autre emploi contractuel, dans une autre ville universitaire.

Je regardais par la vitre : plus on montait sur la colline, plus les maisons étaient grosses et belles.

— Tu n'as pas assassiné un enfant pour vrai, hein ?

— Qu'est-ce que tu en penses ?

— Non.

— Tu as vu juste.

— Alors pourquoi es-tu allé en prison, la vraie raison ?

Il a hésité avant de répondre :

— J'ai fait des introductions par effraction. J'entrais chez les gens.

— Pour les voler ?

Il a hoché la tête :

— J'ai été en probation la première fois, mais la seconde fois, la juge a senti qu'elle devait me donner une leçon, alors elle m'a condamné à six mois de prison.

— Tu veux dire qu'ils t'ont donné une chance la première fois, mais que tu as quand même recommencé ?

Cosmo a hoché la tête.

— Tu parles d'une connerie !

Il a eu l'air étonné, puis il a ri :

— Tu as bien raison. La vérité, c'est que j'avais aussi un problème de drogue. J'avais besoin d'argent pour m'en acheter. Ma dépendance m'a empêché de voir le gros bon sens.

— Te drogues-tu encore ?

J'ai posé ma main sur la poignée de la portière en calculant que je pouvais sauter de la voiture au prochain stop, si je me rendais compte qu'il était gelé.

Il a ri encore plus fort :

— Un drogué?

— Alors, tu l'es ou pas?

— Théoriquement, non. J'ai suivi un programme de désintoxication pendant que j'étais en prison et je vais à deux rencontres des NA chaque semaine.

— NA?

— Narcotiques Anonymes.

— Et le gars, Silvio, tu le connais d'avant?

Cosmo a serré le volant.

— Nous étions des amis et... des associés.

— Tu veux dire que vous avez cambriolé des maisons ensemble.

— Ouais, c'est ça.

— Ton tatouage est vraiment laid, ai-je ajouté en regardant son bras.

— Et ta tuque est vraiment laide.

— C'est maman qui l'a tricotée, ai-je répliqué, offensé. Moi, au moins, je peux l'enlever.

— Bon point. Alors, explique-moi pourquoi tu ne vas pas dans une école normale.

— Je te l'ai déjà dit: trois gars ont essayé de me tuer.

— Les mêmes qui t'ont martyrisé l'autre jour?

— Ouais.

— Ils voulaient vraiment te tuer?

— Je suis allergique aux arachides et ils en ont mis une dans mon sandwich. J'en suis presque mort.

— C'est tellement bizarre que ça doit être vrai, a-t-il dit en me regardant.

J'ai jeté un coup d'œil par la vitre et j'ai aperçu une église bleue de style moderne, au coin d'une rue:

— C'est ici.

Cosmo a garé la voiture, nous sommes sortis et il a immédiatement allumé une cigarette.

— Écoute, tu m'as rendu un grand service tout à l'heure, a-t-il avoué en aspirant la fumée. Alors, demande combien de temps dure la soirée et je reviendrai te prendre quand tu auras fini.

— Non, pas question. Tu entres toi aussi.

— Non.

— Si.

— Non, je...

— Vous cherchez le club de scrabble?

Une femme descendait d'une épave Mazda jaune banane, les bras chargés d'une pile de planches de jeu. Elle avait à peu près l'âge de Cosmo, les cheveux roux aux épaules et une silhouette du tonnerre. Elle portait un jean serré et un superbe chandail avec un soleil géant qui ne masquait pas complètement sa poitrine spectaculaire.

En un mot, elle était sublime. Cosmo a dû penser la même chose parce qu'il l'admirait la bouche ouverte.

— Le club de scrabble, a-t-elle répété, vous le cherchez?

Cosmo ne disait toujours rien, alors j'ai répondu «Oui».

— Vous êtes au bon endroit. Je m'appelle Amanda, je suis la présidente du club. Venez.

Elle nous a souri et j'ai remarqué qu'elle avait les dents avancées, ce qui la rendait encore plus jolie.

Je me suis tourné vers Cosmo pour le convaincre de venir avec moi, mais je n'ai rien eu à faire.

Il avait déjà éteint sa cigarette et suivait Amanda dans l'église.

14

S₁ R₁ F₄ T₁ E₁ U₁ R₁

surfer, suret, tués, fut, ruse, ruer, furet, fuser, futé

FRUSTRÉ

Les membres du Club de Scrabble de l'Ouest se réunissent au sous-sol de l'église, dans une vaste pièce qui sert normalement aux cours de catéchisme. Je l'avais deviné parce que les murs étaient tapissés d'affiches du petit Jésus dans les bras de sa mère, Marie, et du grand Jésus qui jouait avec des moutons, ou parlait à ses disciples, ou distribuait du poisson et des miches de pain. Sur un tableau noir à l'avant, un inconnu à l'écriture soignée avait copié les paroles de la chanson *Venez à moi petits enfants*. En plus, les tables et les chaises étaient courtes sur pattes. Ça me faisait penser au local où j'avais suivi des cours de catéchisme à Regina, pendant les six mois de la brève phase religieuse de ma mère. Elle a fini par se lasser et nous n'y sommes jamais retournés.

— Quand avez-vous commencé à jouer? nous a demandé Amanda en déposant sur une table à l'entrée une boîte pour la monnaie.

Cosmo et moi étions les premiers. J'ai regardé Cosmo qui a répondu :

— L'an dernier seulement.

— Je joue depuis que j'ai huit ans. Je bats toujours ma mère, ai-je ajouté.

— Alors voici comment ça marche : vous payez chacun trois dollars pour jouer trois parties...

— Trois parties? Je ne sais pas si nous pouvons rester aussi longtemps, a dit Cosmo.

— Vous devez les jouer toutes, sinon ça dérègle le système de rotation avec les autres participants. Généralement, la soirée dure trois heures.

J'ai souri :

— Super. Tu me prêtes trois dollars? ai-je demandé très vite à Cosmo en calculant que, puisque nous étions en voiture, je serais rentré bien avant le retour de ma mère.

Il a levé les yeux au ciel. J'imagine qu'il ne voulait pas passer pour un radin devant Amanda, car il a payé pour nous deux.

Amanda a poursuivi ses explications :

— Nous avons trois niveaux : débutant, intermédiaire et expert.

— Vous pouvez me mettre avec les intermédiaires, ai-je dit fièrement.

Amanda a souri et j'ai remarqué à nouveau ses jolies dents avancées :

— Tu es automatiquement débutant, mon garçon. Mais si tu gagnes souvent, et si tu participes à un ou deux tournois, tu vas monter rapidement dans le classement. Et puis, nous avons pas mal de débutants en ce moment, alors tu pourras affronter trois personnes différentes ce soir.

— Est-ce que je pourrai jouer contre toi? a demandé Cosmo à Amanda avec un sourire magnifique que je ne lui avais jamais vu.

Le dur à cuire avait fondu pour laisser place à un homme à l'air enfantin, presque charmant.

— Non, a-t-elle rigolé. Je suis de niveau intermédiaire. Allez, je vais vous montrer où vous installer.

Pendant que nous nous dirigions vers notre table, Cosmo m'a donné un coup de coude et a sifflé :

— Enlève ta tuque, tu as l'air nono.

Je lui ai fait une grimace, mais je l'ai tout de même ôtée, et je l'ai fourrée dans la poche de mon manteau.

D'autres joueurs entraient peu à peu. Ils étaient beaucoup plus vieux que moi et tous différents : gros, maigres, petits, grands, blancs, noirs, jeunes comme Cosmo ou âgés comme Nana Ruth. Une femme vêtue d'un tailleur semblait arriver du bureau. Beaucoup étaient en jean. Une très grosse dame s'est pointée habillée de la tête aux pieds de toutes les nuances de rose. Un grand maigre au dos voûté portait un pantalon en coton ouaté taché de moutarde. Il avait des sandales, mais pas de chaussettes, malgré le temps froid et humide.

— J'ai oublié mon jeu, ai-je dit à Amanda en arrivant à notre table.

— Tu n'en as pas besoin, c'est moi qui les apporte. Et tous les jetons sont en plastique. Sais-tu pourquoi ?

Cosmo et moi avons haussé les épaules. Amanda a ouvert deux boîtes de scrabble et m'a tendu un jeton en bois de l'une des boîtes, et un autre en plastique de la seconde.

— Palpe-les.

Je l'ai fait, puis je les ai remis à Cosmo qui a remarqué :

— On peut sentir le relief de la lettre sur le jeton en bois.

— Eh oui ! Certains joueurs arrivent à reconnaître les lettres sur les jetons, ou les caramels comme on dit, quand ils pigent, même les jokers, les lettres blanches, a-t-elle expliqué en s'asseyant pour disposer un plateau. Alors, comme vous commencez, vous avez une période de grâce, ce qui veut dire que pendant trois semaines, vous pouvez contester les mots de votre adversaire sans perdre de tour, même si c'est un mot autorisé. Ce sera la même chose si votre adversaire a des doutes sur un de vos mots et qu'il n'est pas valable. Vous pouvez aussi jeter un coup d'œil sur cet aide-mémoire des mots de deux lettres qui sont acceptés.

Elle nous a remis une liste. Je ne connaissais pas la plupart des mots :

— Ay ?

— C'est un vin français, figure-toi.

— Voyons donc !

Mon incrédulité l'a fait rire :

— Je suis sérieuse. Je continue. Tu ne seras pas pénalisé si tu dépasses la période allouée de vingt-cinq minutes, mais après les trois premières semaines, tu perdras dix points pour chaque minute excédentaire.

Je n'avais jamais entendu parler de ça :

— Il y a une limite de temps ?

— Oh oui, sinon les parties ne finiraient jamais !

Avec ma mère, nos parties pouvaient être interminables.

— Qui calcule combien de temps il nous reste ?

Elle nous a montré une drôle de boîte surmontée de deux boutons sur le dessus et comportant deux écrans à affichage numérique réglés sur « 25:00 ».

— On utilise des minuteries. Si tu es le premier joueur, ton adversaire appuie sur ton bouton dès que tu regardes tes jetons. Quand tu as terminé, tu annonces ton pointage, puis tu appuies sur ton bouton, ce qui arrête la minuterie et démarre celle du concurrent.

Maman et moi n'avons jamais joué avec une horloge, même pas un sablier. Il était maintenant sept heures et Amanda nous présentait les autres débutants. J'allais jouer la première partie contre Cosmo, la deuxième contre un homme plus vieux, du nom de Mohammed, qui avait la peau foncée et une moustache, et portait un chandail des Canucks de Vancouver. Mon troisième adversaire allait être l'énorme dame en rose. Elle s'appelait Joan.

J'ai facilement battu Cosmo, 242 à 173. Il regardait Amanda à tout bout de champ, plutôt que de se concentrer sur son jeu.

J'étais plus détendu lors de ma partie contre Mohammed. J'avais davantage confiance et la minuterie ne m'intimidait plus. Je lui ai dit :

— Je bats toujours ma mère.

— Moi, je bats toujours mes colocataires. En fait, ils ne voulaient plus jouer avec moi, c'est pour ça que je viens ici.

— Vous n'êtes pas un peu vieux pour vivre avec des colocataires ?

Cosmo jouait à côté de moi contre Joan. Il m'a entendu et m'a donné un coup dans les côtes, plutôt fort. Il a expliqué à Mohammed :

— Il ne filtre rien. Il dit tout ce qui lui passe par la tête.

Mohammed s'est contenté de sourire et a ajouté :

— Ça ne me gêne pas. J'étais marié, mais elle m'a mis à la porte. Alors, je vis chez d'autres gens.

Nous avons commencé la partie. J'ai débuté avec le mot « GOUROU », ce qui n'était pas extraordinaire, parce que cinq des six lettres ne valent qu'un point, mais j'ai déposé le « G » (deux points) sur une case « lettre compte double » et, comme je jouais en premier, j'ai pu utiliser l'étoile du milieu pour doubler la valeur de mon mot.

— 18 points, ai-je annoncé en appuyant sur le bouton pour interrompre la minuterie.

Mohammed a presque immédiatement mis « KAN » devant mon mot pour former « KANGOUROU ». Son « K » se trouvait sur la case « mot compte triple ». Il a annoncé son score :

— 57 points.

Il a noté le pointage sur une feuille parce que c'est lui qui tenait le compte pour nous deux. J'ai formé le mot « GRAVE » à partir du « G » de mon premier mot et grâce à une case « mot compte double », j'ai obtenu 18 points à nouveau.

Mon adversaire a joué « AXES » en accrochant un S à la fin de « KANGOUROU ». Il a donc obtenu des points pour les deux mots (incluant une lettre compte double pour son « X »), pour un total de 53 points.

Le jeu s'est poursuivi ainsi, d'humiliation en humiliation. J'ai contesté souvent des mots comme « YAM », « TAXON » et « ÉMIA ». Chaque fois, on se rendait à un ordinateur installé dans un coin pour en vérifier la validité avec le logiciel Valmots. Ils étaient tous acceptés.

— C'est stupide, personne ne les utilise.

Mohammed a haussé les épaules :

— S'ils figurent dans Valmots, ils sont autorisés.

— C'est quand même idiot.

Mohammed a gagné 317 à 120. Je n'avais jamais été massacré de la sorte. Il a tenté de me rassurer :

— Attends, tu vas t'améliorer. J'étais exactement comme toi quand je suis venu la première fois : un bon joueur du dimanche. Mais ici, c'est devenu complètement différent, a-t-il ajouté en me montrant la salle.

— J'avais pigé de mauvaises lettres.

J'ai joué ma dernière partie avec Joan. Elle a utilisé ses sept lettres à trois reprises. J'ai appris qu'il y a une expression pour cet exploit: «faire un scrabble» ou «scrabbler». Chaque fois, elle a obtenu une bonification de cinquante points. J'ai contesté six mots et ils étaient tous autorisés, à l'exception d'un seul.

— C'est stupide. Qui connaît ça, «CUTI»?

— L'*Officiel du jeu Scrabble*, a répliqué Joan en faisant un autre scrabble.

À côté de nous, Cosmo avait terminé sa partie contre Mohammed. Il avait perdu trois fois, mais ne semblait pas s'en formaliser. Amanda n'a joué que deux fois parce qu'il manquait un participant. J'ai vu Cosmo se diriger droit vers elle dans le coin de la pièce pour discuter. Il a dû lui dire de drôles de choses parce qu'elle riait beaucoup.

J'ai obtenu un score humiliant de 385 à 223. Je me suis levé rapidement en faisant tomber ma petite chaise, mais je n'ai pas pris la peine de la ramasser. Alors que Mohammed la relevait, je les ai aperçus, lui et Joan chuchoter à mon sujet, mais je m'en fichais. Je voulais partir de là sans perdre une minute. Je me suis dirigé d'un pas décidé vers Cosmo, en enfonçant ma tuque multicolore sur la tête:

— On s'en va.

— Revenez-vous la semaine prochaine? a demandé Amanda, mais j'étais déjà sorti.

Dans la voiture sur le chemin du retour, Cosmo chantonnait. Pour vrai. Je lui ai dit:

— Je ne sais pas ce qui te rend si heureux. Tu as perdu toutes tes parties.

— Et alors? Je vais m'améliorer. Et puis, c'est seulement pour le plaisir.

— Tu veux dire que tu as l'intention d'y retourner?

J'étais à la fois surpris et agacé.

— Bien sûr. Avec toi.

— Oh non.

— Si.

— Pas question.

— Allons donc! Bébé ne veut pas y retourner parce que Bébé a perdu ses trois parties? a-t-il dit d'une voix mièvre. Voyons, Ambroise, tu es plus fort que ça!

— C'était stupide et les gens étaient stupides. As-tu vu Toutoune habillée en rose de la tête aux pieds? On aurait dit une guimauve géante.

— Ça n'a rien à voir. Et sans vouloir t'insulter, tu portes une tuque à pompon, sans parler de ton pantalon mauve en velours côtelé.

— Qu'est-ce qu'il a, mon pantalon?

Je l'adorais. Je l'avais acheté au Village des Valeurs et il m'allait parfaitement.

Cosmo a ouvert la bouche pour dire quelque chose, mais il l'a refermée rapidement:

— Rien, il n'a rien ton pantalon.

— Je trouve qu'il fait chic.

— Écoute, j'ai vu comment tu joues. Tu es bon, mais les autres sont meilleurs que toi. Pour le moment.

— Tu veux y retourner seulement parce qu'Amanda t'est tombée dans l'œil.

Il a eu un large sourire:

— Appelle ça comme tu veux: elle est mignonne à la puissance dix.

— Elle a probablement un petit ami.

— Non, je lui ai demandé.

— Alors, retournes-y tout seul. Tu n'as pas besoin de moi.

— En fait, si. Tu es ma couverture.

— Ta quoi ?

— Ma couverture, mon prétexte.

Il a hésité une seconde avant de se confesser :

— Je lui ai dit que j'étais ton Grand Frère.

— Mon grand frère ? On n'a pas deux poils pareils.

— Pas ce genre-là de grand frère. Un Grand Frère avec des majuscules, tu sais, l'organisme qui jumelle des garçons qui n'ont pas de père, avec des gars qui veulent passer du temps avec eux pour leur donner un modèle masculin.

J'ai ri à m'en décrocher la mâchoire. Je n'ai pas pu m'en empêcher. J'ai tellement ri qu'une bulle de morve a jailli de ma narine et j'ai dû l'essuyer avec la manche de mon manteau.

— Qu'est-ce qu'il y a de si drôle ?

— L'idée que tu sois mon modèle.

— Ce n'est pas si comique.

— Au contraire.

— Allez, Ambroise. Reviens avec moi la semaine prochaine !

— Non.

— Alors c'est comme ça que tu agis ? Ambroise fuit quand les choses se compliquent ? a-t-il dit avec un ton de bébé.

— Ferme-la.

— Belle ambiance...

Mais il m'a écouté. Il s'est tu, je veux dire.

Nous n'avons pas dit un mot jusqu'à notre arrivée à la maison.

15

T₁ I₁ V₄ I₁ S₁ E₁ S₁

site, vis, vites, tisse, visse, vies, si

VISITES

J'imagine qu'il ne faut jamais dire « jamais », parce que le mercredi suivant, je souffrais encore plus d'*ennuyance*, un mot qui n'est pas dans le dictionnaire *Le Grand Robert*. Mais si certains mots qu'on n'utilise jamais dans la vraie vie sont autorisés au scrabble, alors d'après moi, on pourrait accepter « ennuyance ».

En partant travailler, maman m'a annoncé qu'elle irait peut-être encore prendre un verre avec Jane :

— Je serai rentrée avant minuit et j'aurai mon cell.

— Super. Ne t'inquiète pas pour moi. Je passerai une autre soirée de débauche seul avec mon ombre, à débattre laquelle de notre unique chaîne de télé on va regarder ce soir.

J'ai regretté mes paroles en voyant son visage se décomposer.

— Je fais du mieux que je peux, Ambroise.

— Je le sais, maman, je le sais, ai-je répondu rapidement.

Après son départ, j'ai joué une partie de solitaire jusqu'à ce que j'entende monsieur et madame Eco quitter la maison pour se rendre à leur soirée dansante hebdomadaire, au Centre culturel grec. Ensuite, j'ai pris place dans la Camaro de Cosmo.

S'il était surpris de me voir lorsqu'il est sorti à sept heures moins dix, il a bien caché son jeu. Il s'est simplement assis derrière le volant, a démarré et m'a lancé :

— C'est toi qui paies pour nous deux cette semaine.

J'ai fait encore moins bien que la première fois : j'ai perd
mes trois parties, y compris celle contre Cosmo, ce qui est
summum de l'humiliation.

— J'ai pigé les pires lettres, lui ai-je expliqué dans l'auto a
retour. Un singe aurait pu me battre.

Cosmo a sifflé :

— Oh là, là, l'ami ! Je ne te pensais pas mauvais perdant.

Je n'avais pas gagné mais quelque chose avait cliqué. J
voyais la grille de scrabble différemment ou, du moins, de l
même façon dont mes adversaires, Mohammed et Joan, regar
daient le plateau. Et même si j'étais grognon à la fin de la soirée
je ne m'étais pas ennuyé le moins du monde.

À partir de ce jour-là, lorsque j'étais seul à la maison, je
mémorisais les listes qu'Amanda m'avait photocopiées : tous les
mots de deux lettres, les mots avec « Q » sans « U », et les mots qui
permettent de se débarrasser de beaucoup de voyelles en un tour.

À notre quatrième visite début mars, j'ai remporté une
partie contre Joan grâce à « QWERTY » placé sur une case « mot
compte triple » en accrochant mon « T » au bout de son mot
« APPELA ». Je l'ai battue 303 à 299, seulement parce qu'il lui
restait des jetons que j'ai ajoutés à mon pointage, mais je m'en
fichais. J'avais gagné et j'avais franchi le cap des 300 points.
J'étais tellement heureux que j'ai sauté de joie, et que j'ai fait
une danse de la victoire debout sur ma chaise en agitant les bras
et en chantant « Na na na na, na na na na, hé hé hé, good bye ».

— Ne t'enfle pas la tête, le jeune, m'a dit Joan.

— Ma tête, au moins, n'est pas aussi énorme que votre
derrière, ai-je répliqué à bout de souffle.

Lorsque je l'ai regardée, elle avait blêmi. Je craignais qu'elle ne m'ait entendu.

J'ai décidé qu'il n'en était rien. Elle était simplement vexée d'avoir été battue par un prodige de douze ans.

Ce soir-là, sur le chemin du retour, Cosmo sifflotait toujours, même s'il avait cette fois-ci encore, perdu ses trois parties.

— Que fais-tu vendredi? m'a-t-il demandé.

— Moi? Rien, pourquoi?

— J'ai invité Amanda à venir jouer aux quilles avec nous.

— *Nous*?

— C'est en plein ça.

— Je déteste le bowling.

Je n'ai pas précisé que je détestais tous les sports.

— As-tu quelque chose de mieux à faire?

— Je n'ai pas dit ça.

En vérité, sortir n'importe où un vendredi, même aux quilles, m'emballait davantage que de passer une autre soirée à écouter le bulletin de nouvelles à Radio-Canada. Je n'ai rien contre l'actualité, ça m'intéresse beaucoup et les chefs d'antenne ont une allure rassurante. Parfois, je m'imagine que l'un d'eux est mon père, et qu'il rentre chez nous avec ma mère. « Chez nous », ce serait une maison différente, beaucoup plus vaste avec des pièces qui porteraient des noms comme « boudoir », « cinéma maison » et « solarium ». Après avoir lu les nouvelles pour les téléspectateurs d'un océan à l'autre, mon père serait fatigué, mais il prendrait le temps de discuter avec moi de ma journée ou de jouer au baseball dans la cour. Ensuite, ma mère et lui viendraient me border et me souhaiter « bonne nuit » avant d'aller dans leur chambre, en se tenant la main.

Mais je me sentais coupable de m'imaginer un père différent du mien. Cosmo m'a tiré de ma rêverie :

— Je dois t'avouer quelque chose. Elle pense que c'est une activité de Grand Frère.

— Pourquoi lui as-tu dit ça ? ai-je demandé d'un ton exaspéré.

— Je ne sais pas. C'est stupide. Je voulais qu'elle croie...

— Que tu es mieux que dans la vraie vie.

Il a ri :

— Peux-tu m'en blâmer ?

— Non, ai-je répondu, ce qui l'a fait rigoler encore plus. Sait-elle que tu fumes ?

— Oui, elle m'a vu.

— Sait-elle que tu ne travailles pas et que tu habites chez tes parents ?

— Elle sait que je suis entre deux emplois et que je vis temporairement chez mes parents.

— Sait-elle que tu es un ex-prisonnier et un ex-drogué ?

— Non, a répondu fermement Cosmo. Et tu ne lui diras rien. Je lui avouerai la vérité quand je serai prêt.

Nous n'avons pas ouvert la bouche pendant un moment, puis il a répliqué avec impatience :

— Dis-moi, tu embarques ou pas ?

J'embarquais, quoi qu'il en soit. Mais j'ai vu poindre une possibilité et j'en ai profité :

— J'y vais à une condition.

— Laquelle ?

— Tu m'apprends à me défendre.

— Oublie ça.

— Tu m'as dit que je devrais apprendre.

— Je pensais à des cours de karaté, de taekwondo ou de quelque chose du genre.

— On n'a pas d'argent, et même si on en avait, ma mère ne me le permettrait jamais. Elle croit que c'est violent.

— Alors, elle ne voudra certainement pas que je te donne des leçons.

— Quelques mouvements, s'il te plaît ?

Il s'est garé dans l'entrée de garage et a poussé un soupir :

— Bon, c'est vrai que tu en as besoin plus que n'importe qui.

— Qu'est-ce que tu veux dire par « plus que n'importe qui » ?

Il m'a fixé droit dans les yeux :

— Regarde les choses en face, Ambroise. Tu énerves pas mal de gens.

J'ai secoué la tête, même si je savais qu'il avait visé juste.

— Alors, marché conclu ?

— Marché conclu.

Nous nous sommes serré la main. Il avait une poigne extrêmement solide. Je suis sorti de l'auto en secouant ma main engourdie. J'étais sur le point de me diriger vers la porte de notre appartement, lorsque madame Eco est sortie sur le balcon, toute belle dans une jupe et une blouse fleuries assorties. Les Eco étaient rentrés plus tôt que d'habitude de leur soirée dansante. J'ai eu le réflexe de me cacher derrière la voiture, du côté passager. Cosmo a dit :

— Vous êtes déjà de retour, m'man ?

— Ton père avait mal au ventre, a-t-elle répondu en descendant rapidement l'escalier pour venir le rejoindre. Il est revenu te voir, tu sais, ton vieil ami Silvio.

Cosmo s'est tu pendant quelques secondes, puis il a demandé :

— Qu'est-ce qu'il voulait?

— Il m'a dit qu'il devait te parler. Je ne l'aime pas, Cosmo. Tu m'as promis que tu ne fréquentais plus ces gens-là.

Madame Eco semblait vraiment bouleversée.

— C'est fini, maman, je te le jure.

— Il m'a chargée de te remettre ceci.

Il y a eu un court silence, puis j'ai entendu un froissement. J'ai aperçu une boule de papier tomber du côté conducteur.

— Viens maman, on va rentrer.

J'ai attendu qu'ils entrent, puis j'ai fait rapidement le tour de l'auto pour ramasser la feuille que Cosmo avait jetée.

Une fois à la maison, j'ai verrouillé la porte et j'ai enfilé mon pyjama d'astronaute. Puis j'ai défroissé la boule de papier.

Il n'y avait qu'un seul mot écrit dessus et je ne l'avais jamais vu auparavant, même au club de scrabble : TMDU.

Ce n'est que plus tard, tandis que j'étais couché et qu'en attendant ma mère, je contemplais mes étoiles phosphorescentes que j'ai compris :

TMDU : Tu m'en dois une.

16

N₁ O₁ P₃ I₁ R₁ E₁ T₁

potier, noire, trône, pont, pion, trio, pointer, potin, piton

POITR(I)NE

Le lendemain après-midi à cinq heures, lorsque je me suis pointé à leur porte arrière pour voir Cosmo, madame Eco m'a regardé d'un air suspicieux. Elle avait les mains couvertes de farine et portait un tablier. J'apercevais une boule de pâte à pain en train de lever sur le comptoir derrière elle.

— Qu'est-ce que vous allez faire ? m'a-t-elle demandé pendant que nous attendions son fils.

— Cosmo va m'apprendre à me défendre. Mais ce n'est peut-être pas nécessaire d'en parler à ma mère.

Elle m'a regardé un moment, puis a ajouté :

— Vous ne faites rien de mal, hein ?

— Non, madame Eco. Je vous donne ma parole.

— Alors, je ne vois pas d'inconvénient à ce que ça reste entre nous.

Elle m'a fait un clin d'œil, puis elle est retournée à la cuisine au moment où Cosmo arrivait. Il portait un débardeur et un pantalon de survêtement. En sortant dans la cour, je lui ai dit :

— J'espère que tu ne porteras pas ça pour notre rendez-vous avec Amanda.

— *Notre* rendez-vous ?

Il m'a donné une petite tape amicale sur la tête.

— Écoute, je ne m'habillerai pas comme ça si tu ne portes pas ta tuque. Ni ton pantalon mauve.

— Je te l'ai déjà dit : je l'aime mon pantalon. Ma tuque aussi.

Cosmo a inspiré profondément, mais s'est contenté de dire :

— Oui, je le sais.

Le soleil perçait à travers les nuages et il faisait exceptionnellement doux pour le mois de mars. Les crocus jaunes et violets pointaient la tête un peu partout dans le jardin des Economopoulos. Cosmo avait accroché un ancien sac de frappe à la branche d'un érable. Il le tenait pendant que je donnais des coups de poing dedans. J'avais toujours voulu faire ça. J'ai été surpris de voir à quel point cela faisait mal. Vraiment beaucoup. Mais Cosmo m'a rassuré :

— Ce sera plus facile avec de l'entraînement.

Je regardais ses bras musclés, puis les miens, fragiles comme des allumettes, et j'ai senti le découragement me gagner :

— On devrait peut-être oublier cette idée-là.

— Ne sois pas ridicule. C'est comme s'améliorer au scrabble : ça prend du temps. Bon, maintenant au sol. Fais-moi 25 pompes.

Cet exercice m'a pratiquement achevé, mais je n'étais pas au bout de mes peines.

— Je vais te montrer quelques blocages, des techniques de protection.

— Je ne veux pas apprendre à faire des blocages, je veux apprendre à donner des coups.

J'ai dit ça, mais tout ce que je voulais vraiment à ce moment-là, c'était me réfugier dans ma chambre pour faire la sieste.

— Une étape à la fois, Ambroise. Maintenant, essaie de me frapper au visage.

— Je ne peux pas faire ça...

— Si, tu peux.

J'ai donc essayé.

Cosmo a rapidement levé son bras droit plié à angle droit et a facilement bloqué mon poing :

— Tu peux faire mieux. Mets-y de la puissance.

J'ai fait une autre tentative, plus fort cette fois, et il a de nouveau neutralisé mon mouvement sans effort :

— Je ne veux pas te vexer, Ambroise, mais tu bouges comme une fille.

— Je suis vexé.

Il m'a montré comment bloquer les coups qui viennent d'en haut et ceux qui viennent d'en bas.

— Le blocage, c'est ta première arme de défense contre les petites brutes de ton ancienne école. Maintenant, essaie d'arrêter mon coup.

Cosmo m'a frappé, pas trop fort, et j'ai rapidement levé mon bras. J'ai crié de joie :

— J'ai réussi! J'ai bloqué ton coup.

Mon enthousiasme m'a empêché de voir venir le coup suivant qui m'a atteint au ventre. Je me suis plié, sonné, mais je n'avais rien de cassé.

— Oh! je suis désolé Ambroise, a dit Cosmo pendant que je reprenais mon souffle. Ça va?

J'ai hoché la tête, puis je l'ai frappé dans le ventre, le prenant par surprise à mon tour. Il m'a semblé plus étonné que blessé, puis il a éclaté de rire :

— Tu apprends vite.

J'ai senti une bulle de fierté monter en moi.

Cosmo a décidé que nous avions fait suffisamment d'exercices pour le haut du corps. J'étais prêt à mettre fin à la séance, mais il est allé chercher un ballon dans le cabanon.

— Je ne joue pas au soccer. Je déteste le soccer.

— Tu n'as jamais joué.

— Parce que j'haïs ça.

— Tu détestes ça parce que tu as peur d'avoir l'air ridicule.

— Je n'ai pas peur du ridicule. Je *sais* que je vais avoir l'air fou. C'est déjà arrivé souvent.

— Mais tu peux avoir l'air ridicule devant moi.

On s'est donc fait des passes pendant quelques minutes. Je n'étais pas bon, mais il avait raison : je ne ressentais aucune gêne. Vers la fin, j'ai même réussi un beau lancer et Cosmo m'a frappé la main. Un petit frisson de joie a parcouru mon corps, parce qu'à l'exception des cours d'éducation physique, je n'avais jamais botté de ballon avec personne, sauf peut-être une ou deux fois avec Phil, avant que maman ne cesse de répondre à ses appels.

Cosmo a rangé le ballon puis a allumé une cigarette. Je lui ai dit :

— Ta voiture est impeccable, mais tu remplis ton corps de poison.

— C'est ma seule dépendance pour le moment. Moi, je pense que je ne m'en sors pas si mal.

— Pourquoi as-tu commencé à te droguer ?

— J'étais perdu. Je ne savais pas quoi faire de ma vie, a-t-il dit en haussant les épaules.

— Moi non plus, je ne sais pas quoi faire de ma vie, et je ne prends pas de drogue.

Il a souri :

— C'est compliqué : j'étais déprimé et fâché et confus... Un ami m'en a offert pendant une fête et j'allais beaucoup mieux. Pendant un certain temps, la dope m'a aidé à me sentir bien. Puis, elle m'a fait me sentir mal, mais j'étais déjà dépendant. Que veux-tu que je te dise, Ambroise ? Dans la vie, on peut choisir plusieurs chemins. J'ai pris le mauvais.

— Qu'est-ce que tu dois à Silvio ?

— Quoi ?

— TMDU. J'ai lu son message.

— Pourquoi as-tu fait ça ?

— C'était trop tentant. Tu as laissé tomber la feuille à côté de l'auto.

— Tu es un vrai moron.

— Tu vas me le dire, oui ou non ?

— Je lui dois de l'argent, a avoué Cosmo en soupirant.

— Combien ?

— Deux mille dollars.

J'ai sifflé, ou plutôt j'ai essayé. Je n'avais jamais maîtrisé la technique :

— C'est beaucoup.

— Il me les a prêtés juste avant le dernier vol. On devait le faire ensemble, mais il n'est pas venu, alors je l'ai fait seul. Je me suis dit que j'allais vendre une partie de la marchandise volée pour rembourser ma dette. Mais ça ne s'est pas passé comme prévu.

— Qu'est-ce qui est arrivé ?

— Je ne savais pas que les propriétaires avaient un chien.

— Un doberman-pinscher ? Un berger allemand ?

— Un labraniche.

— Un *labraniche*?

— Un croisement de labrador et de caniche. Un petit chien de rien du tout.

— Tu te fous de ma gueule.

— Si seulement...

— Alors, qu'est-ce qui est arrivé?

— J'étais gelé, ma première erreur. Je transportais une grande télé à écran plat vers la porte arrière, quand tout à coup, le petit chien a surgi à toute allure. J'ai trébuché et je me suis cogné contre un angle de la télé. J'imagine que les proprios sont revenus entre-temps, car lorsque j'ai repris connaissance, les policiers étaient déjà là.

— Wow. C'est plutôt...

— Gênant? Ouais. Je suis bien placé pour dire que le crime ne paie pas.

Madame Eco est sortie par la porte arrière.

— Le souper est prêt! Ambroise, tu restes avec nous, j'insiste. Pas d'arachides! a-t-elle ajouté en riant.

J'ai senti qu'elle se moquait de ma mère. Pendant que nous nous dirigions vers la maison, j'ai demandé à Cosmo:

— Et le labraniche, il s'en est tiré?

— Indemne. On n'en parle plus et on va manger.

Maman a remarqué que j'étais particulièrement enthousiaste quand elle est partie travailler le vendredi suivant.

— Tu es de bien bonne humeur!

Je la faisais danser au son de *Darlin'* qui jouait sur notre minichaîne. C'est une chanson entraînante plutôt country du groupe canadien Luther Wright and the Wrongs, sur l'un des disques préférés de ma mère. Quand son budget le lui permettait, elle allait fouiller dans un magasin de disques d'occasion sur la 4ᵉ Avenue Ouest.

— C'est vendredi. Il y a un film à la télé. Qui ne serait pas de bonne humeur?

— En passant, m'a dit maman en mettant une pile de devoirs dans son sac, j'ai appris pourquoi Cosmo avait fait de la prison.

Mon estomac n'a fait qu'un tour:

— Ah oui?

— Madame Economopoulos me l'a révélé. Elle a pensé, j'imagine, que j'étais en droit de le savoir, ce qui est une bonne chose.

— Alors?

Elle a hoché la tête avec un air dégoûté:

— Il a été pris sur le fait en train de cambrioler une maison pour payer sa drogue.

— Mais il ne se dope plus.

Elle a interrompu ce qu'elle faisait pour me regarder:

— Comment peux-tu savoir ça?

— Il n'a pas l'air d'un drogué.

Elle a enfilé le blouson de suède brun qu'elle avait acheté pour seulement vingt dollars à l'Armée du Salut et qui lui allait magnifiquement bien, puis m'a dit:

— Sa mère aussi pense qu'il ne consomme plus.

Au ton de sa voix, je devinais qu'elle ne le croyait pas.

— Pourquoi es-tu sceptique? Peut-être qu'il ne se drogue plus. Peut-être qu'il essaie vraiment de repartir à zéro. Peut-être que c'est vraiment un bon gars qui a pris une mauvaise décision à un moment donné.

Ma mère semblait intriguée:

— Pourquoi est-ce que ça t'intéresse autant?

— Ça ne m'intéresse pas, c'est seulement que tu ne devrais pas tout le temps t'attendre au pire chez les gens.

Elle a posé ses mains sur mes épaules :

— Ambroise, je ne le fais pas volontairement, mais d'après mon expérience, le pire, c'est souvent ce qui arrive.

Sa phrase est restée en suspens. *A-t-elle toujours eu cette impression ou est-ce seulement depuis que « le pire » est arrivé à mon père ?*

— Crois-moi, j'espère sincèrement qu'il tiendra le coup parce que sinon, il pourrait essayer de nous voler nous aussi.

— Mais on n'a rien à voler !

— Les drogués s'en fichent. Madame Economopoulos m'a raconté qu'il lui piquait tout le temps de l'argent dans son portefeuille.

J'ai pensé à mon pot de 25 cents.

Maman a mis son chapeau mou avec la fleur, puis elle a ouvert les bras pour me faire un câlin et m'embrasser.

— Je vais prendre un verre avec Jane après les cours. Je serai rentrée à minuit.

Après son départ, je suis allé dans ma chambre pour cacher ma collection de 25 cents. Au cas où...

À six heures, Cosmo m'a fait monter dans sa Camaro au bout de notre rue. Ses parents n'avaient aucun problème à garder le secret pour nos repas et les leçons d'autodéfense, mais je ne voulais pas qu'ils aient à cacher le fait que je sortais avec leur fils, en voiture de sport, le vendredi soir.

— Tu es bien élégant, lui ai-je dit.

Il portait un jean qui semblait neuf et une chemise à col boutonné et à manches courtes qui cachait en partie son tatouage.

— Merci. Et toi, tu as l'air… unique. Très coloré.

J'avais décidé d'enfiler mon plus beau pantalon — le brun qui m'allait parfaitement sauf qu'il était un peu serré à l'entre-jambe — mes Reebœrk et un tee-shirt vert fluo qui, selon moi, mettait en valeur les paillettes vertes de mes yeux noisette.

— Tu as aussi lavé ton auto, ai-je remarqué.

— À l'intérieur et à l'extérieur.

— C'est drôle comme tu prends plus grand soin de ton auto que de toi.

Il s'est contenté de me lancer un regard glacial.

Nous traversions le quartier pour aller chercher Amanda qui habitait dans un petit immeuble près de la 4e et de Burrard. J'avais tellement de peine à respirer que j'ai dû ouvrir ma vitre :

— Mais qu'est-ce que ça sent ?

— Ma lotion après-rasage.

— Qu'est-ce que tu as fait ? Tu as renversé toute la bouteille sur ta tête ?

— J'en ai trop mis ?

— Oh oui !

Alors Cosmo a fait demi-tour et je me suis caché dans l'auto pendant qu'il se précipitait chez lui pour prendre une douche et se changer. Je ne l'avais jamais vu agir ainsi. Quand il est revenu s'asseoir dans la voiture, je lui ai demandé :

— Tu tiens le coup ?

— Hein ?

— Pour te passer de drogue depuis que tu es sorti de prison.

— Oui. J'étais tenté au début, mais plus maintenant.

— Promis ?

— Qu'est-ce qui te prend ?

— Est-ce que tu nous volerais ?

— Mais de quoi parles-tu?

— Tu as piqué de l'argent à ta mère.

— Oh, pour... Oui, je l'ai fait, quand je me droguais, mais je ne me drogue plus. C'est fini tout ça, j'ai tourné la page, compris?

Je voulais savoir comment il pouvait en être si sûr, mais nous étions arrivés chez Amanda. Elle nous attendait dehors et malgré mon manque d'expérience, j'ai remarqué qu'elle était splendide avec sa blouse paysanne au décolleté plongeant avec son petit blouson de cuir brun et son jean étroit rentré dans des bottes de cowboy rouges. Elle nous a souri, puis s'est dirigée vers nous.

— Déménage tes fesses sur la banquette arrière, m'a demandé Cosmo avant de descendre de l'auto pour ouvrir la portière à Amanda, un grand sourire niais aux lèvres.

17

E₁ H₄ A₁ T₁ T₁ A₁ C₃

état, tâte, thé, cet, chatte, hâte

ATTACHÉ

Cosmo voulait d'abord nous emmener dans un restaurant chinois près de la salle de quilles, mais je lui ai dit que je ferais mieux de ne pas manger là, à cause de mon allergie.

— On n'a qu'à commander des plats sans arachides.

— Non, il a raison, est intervenue Amanda. On n'est jamais trop prudent avec ce type d'allergie. Il suffit qu'ils utilisent le même wok ou qu'une cacahuète tombe par accident dans son assiette...

J'ai adressé un regard moqueur à mon voisin tandis que j'ai lancé mon plus beau sourire à Amanda. Elle m'a ébouriffé les cheveux, ce qui était agréable.

— Mon cousin a des allergies comme toi, a-t-elle expliqué.

Cosmo nous a donc emmenés dans une pizzeria. C'était tout un événement pour moi de me trouver dans ce lieu bruyant vivement éclairé. Maman et moi ne mangions presque jamais au restaurant parce que a) c'est trop cher et b) c'est trop stressant à cause de mon allergie.

Amanda a commandé une bière, Cosmo et moi avons pris deux grands verres de Coke. Cosmo a prétendu que c'était parce qu'il conduisait, mais je me suis demandé si le fait d'être un ex-drogué l'obligeait à ne pas boire d'alcool.

— Depuis quand es-tu son Grand Frère ? a dit Amanda.

Cosmo a toussé :

— Pas très longtemps.

— Vous me semblez vous entendre particulièrement bien.

— Oh oui, ai-je dit pour le mettre en valeur. Cosmo est très généreux. Il adore me faire faire des choses que je n'ai jamais essayées, puisque je n'ai pas de papa. Vendredi soir prochain, il m'a promis qu'on irait à l'Escalaroc.

Cosmo a failli s'étouffer avec son gressin.

— Le centre d'escalade ? J'ai toujours voulu y aller.

— Je suis sûr que Cosmo ne verrait aucun inconvénient à ce que tu viennes, n'est-ce pas, Cosmo ?

Cosmo a esquissé un sourire forcé, et m'a lancé un grand coup de pied dans les tibias :

— Nous aimerions ça que tu te joignes à nous.

— Ça me ferait plaisir, mais comment feras-tu pour payer vu que tu ne travailles pas ?

— Ce n'est pas facile, mais je le fais pour le petit, a-t-il précisé en me donnant une tape dans le dos, un peu trop violente à mon goût.

— Et toi, Amanda ? a dit Cosmo.

— Moi ?

— Qu'est-ce que tu fais quand tu ne joues pas au scrabble ?

Amanda a souri :

— Eh bien... je tricote. Je travaille à la boutique Hélène-la-laine sur Main.

Je connaissais bien cette rue. Nous y étions déjà allés avec maman un samedi. Elle est située dans un quartier vraiment chouette de la ville, plein de boutiques à la mode qui vendent des antiquités et des vêtements. Il y a aussi une pâtisserie où l'on trouve les meilleurs biscuits aux brisures de chocolat du monde.

— C'est une boutique de tricot. Et deux fois par semaine, pour gagner un peu plus d'argent, j'organise chez moi des soirées « Les Cocottes tricotent ».

— *Les Cocottes tricotent*?

— Oui. En principe, j'accueille une dizaine de personnes par session, presque toutes des femmes. Il y a à peine assez de place pour tout le monde. Nous faisons tous un projet spécial de tricot.

— As-tu fabriqué le chandail que tu portais la première fois où l'on t'a rencontrée? Celui avec le gros soleil?

— Bien sûr. Je tricote toutes sortes de choses, a-t-elle précisé en nous montrant sa ceinture et son sac à main en laine colorée. Je les vends dans quelques boutiques. Ça ne m'enrichit pas, mais vous savez ce qu'on dit, hein? « Écoute ton cœur. »

Amanda a ri comme si elle était gênée. Cosmo a renchéri:

— J'aimerais bien écouter mon cœur. Si seulement je pouvais l'entendre me parler...

Elle lui a souri tendrement puis s'est tournée vers moi:

— Parlant de tricot, pourquoi tu ne portes pas ta super tuque ce soir?

— Tu l'aimes?

— Oh oui! C'est quelqu'un qui l'a faite pour toi, hein?

J'ai lancé un regard triomphant à Cosmo avant de lui répondre:

— Ma maman.

— Dis-lui qu'elle est la bienvenue si elle veut venir à nos soirées Les Cocottes tricotent.

— Bien sûr, je vais lui en parler.

Elle s'est retournée vers Cosmo et lui a dit, presque timidement:

— Et toi, j'aime ton tatouage...

Ensuite, Amanda a baissé l'encolure de sa chemise pour révéler une petite libellule bleu vif posée sur son omoplate et a ajouté :

— Je pense m'en faire faire un sur la cheville.

C'était au tour de Cosmo de me regarder triomphalement :

— La libellule est superbe sur toi.

Ils se sont souri et cette fois, ils ont échangé un long regard insistant et tout mielleux. J'ai donc décidé de changer de sujet.

— Comment as-tu commencé à jouer au scrabble ?

— Oh, j'ai toujours aimé ça. J'ai joué durant tout le secondaire, une vraie maniaque, a rigolé Amanda.

— J'ai de la difficulté à t'imaginer comme ça, a roucoulé Cosmo.

— Je vous le dis. Vous devriez voir ma photo dans l'album de finissants.

— Ça me plairait bien.

Ils se sont fait à nouveau les yeux doux et Amanda a rougi :

— En tout cas, j'ai rejoint le Club de Scrabble de l'Ouest il y a quelques années et, quand le président a déménagé à Kamloops, j'ai pris la relève. Voilà !

— Tu es une excellente présidente de club, ai-je dit en exagérant un peu. Première classe.

— Merci beaucoup, Ambroise, a-t-elle dit en buvant une gorgée de bière. Tu sais, comme présidente, une de mes tâches les plus difficiles est d'essayer d'apaiser les tensions entre les joueurs qui ont tous leurs personnalités différentes.

— Je comprends. Comme Larry l'expert qui ravale sa morve. Je l'entends à l'autre bout de la salle. Ou Joan, la grosse madame en rose.

— C'est étrange que tu penses à elle, a dit Amanda. Elle m'a rapporté que tu lui avais adressé des paroles plutôt méchantes l'autre soir.

Alors, elle m'avait entendue. J'ai senti la chaleur me monter au visage, et même jusqu'aux oreilles :

— Je ne sais pas de quoi tu parles.

— N'as-tu pas dit que ta tête n'était pas aussi grosse que son énorme derrière ?

Cosmo a semblé s'étouffer et une bulle de Coke est sortie de sa narine.

Je n'ai rien trouvé à répondre, ce qui est une réponse en soi, si vous voyez ce que je veux dire.

Amanda m'a parlé plutôt gentiment, mais avec fermeté :

— Tu ne peux pas insulter les gens comme ça. Imagine comment tu te sentirais si quelqu'un agissait comme ça avec toi.

Cosmo s'en est mêlé :

— Toi, tu devrais comprendre ça mieux que personne ! Les gars de ton ancienne école, est-ce qu'ils ne se moquaient pas toujours de toi et te traitant de tous les noms ?

Je lui ai lancé un regard furax. Cosmo était effronté. Il agissait tout à coup comme s'il était *vraiment* mon Grand Frère, seulement pour impressionner Amanda.

La serveuse a apporté notre pizza, mais je n'avais plus très faim. J'ai marmonné :

— Je suis désolé. Je ne recommencerai plus.

Elle m'a souri et j'ai compris qu'elle essayait de me rassurer :

— Parfait, parce que si ça se reproduit, je serai obligée de te demander de quitter le club, et ce serait dommage parce que j'aime bien t'avoir avec nous. Et comme on en parle, il y a d'autres choses que vous devez savoir. Règle numéro un :

personne n'aime entendre quelqu'un se plaindre de ses jetons.

— Tout à fait d'accord, a dit Cosmo.

Amanda l'a ignoré, ce qui m'a fait plutôt plaisir.

— Tout le monde pige des lettres médiocres de temps à autre et ça finit par s'équilibrer au bout du compte. Ce n'est qu'un jeu, il faut s'y faire. Règle numéro deux: la seule chose pire qu'un mauvais perdant, c'est un mauvais gagnant.

— Ha ha! Je te l'avais bien dit! a lancé triomphalement Cosmo, ce qui m'a donné envie de le frapper.

— Alors, fini les danses de la victoire debout sur une chaise, d'accord? a ajouté Amanda à mon égard.

— D'accord.

Je craignais d'éclater en sanglots lorsqu'Amanda a mis son bras autour de mes épaules et m'a attiré vers elle, et que ma tête s'est ainsi retrouvée entre ses deux seins.

— Je t'ai fait de la peine, mais ce n'était pas mon intention, mon grand. Je te dis ce qu'il en est simplement parce que tu peux comprendre et parce que je t'aime bien...

Elle m'a relâché. J'étais étourdi et je suis sûr que j'avais un air stupide. Elle m'a tapoté la main et a continué:

— Et aussi parce que je pense que tu peux devenir un très bon joueur. Il faut absolument que tu gardes à l'esprit que s'adonner au scrabble de compétition et jouer dans sa cuisine, c'est bien différent. J'ai lu dans un livre que le scrabble, ce n'est pas une question de connaître des mots, mais bien de maîtriser les règles du jeu.

— Vas-tu m'aider? lui ai-je demandé en essayant de la regarder dans les yeux plutôt qu'à l'endroit où était posée ma tête quelques secondes auparavant.

— Bien sûr, d'ailleurs, je t'ai apporté un cadeau. Elle a sorti un livre tout écorné de son sac et me l'a remis.

— C'est le *Dictionnaire du Scrabble experts*. Il est différent de l'*Officiel du jeu Scrabble* qui est pour les joueurs du dimanche. Celui-ci contient tous les jurons, a-t-elle dit avec un clin d'œil. J'en avais un exemplaire en plus.

Je l'ai remerciée sincèrement. L'appétit m'était revenu et j'ai pris une pointe de pizza. Elle était délicieuse, bien meilleure que la pizza maison de ma mère, à la farine de blé entier.

— Et moi ? s'est inquiété Cosmo. Penses-tu que je pourrais devenir un bon joueur ?

Amanda lui a répondu avec le sourire :

— Je suis sûre que tu pourrais être aussi bon que tu le souhaites, mais que tu ne fournis pas assez d'efforts pour exceller. Je pense que ce n'est pas ta vraie motivation.

Cosmo s'est servi une deuxième part de pizza avant de répliquer :

— C'est à peu près ça.

Pour une raison qui m'échappe, Amanda a affiché un énorme sourire qui voulait dire « Comme il est mignon ! »

Après le repas, nous sommes allés aux quilles. Je n'avais joué qu'une fois auparavant, à l'une des rares fêtes d'anniversaire à laquelle on m'avait invité. Nous vivions à Regina à l'époque et maintenant que j'y pense, je me souviens que la classe au complet y était. Nous étions divisés en groupes et je lançais toujours ma boule dans le dalot, ce qui faisait rager mes coéquipiers. Puis, à la fin de la fête, j'avais vomi abondamment sur le plancher parce que j'avais englouti trop de hot-dogs parce que je voulais en profiter parce que ma mère n'en achète jamais parce qu'elle trouve ça dégoûtant.

Ce soir-là, en revanche, je ne jouais pas si mal. Je n'avais pas le grand talent d'Amanda, qui réussissait abat sur abat. J'ai lancé à plusieurs reprises dans le dalot, mais le plus souvent, je faisais tomber une quille ou deux. J'ai réussi un abat et je me suis mis à crier de joie comme une fille. Cosmo a boudé, mais je pense que c'était un peu pour amuser la galerie. Chaque fois que sa boule se dirigeait dans le dalot, Amanda s'écroulait de rire, et je voyais qu'il aimait la faire rigoler.

À dix heures, je me suis réfugié dans les toilettes pour appeler ma mère avec mon cellulaire. Je voulais m'assurer qu'elle prévoyait toujours de sortir avec Jane.

— C'est mon intention, mais seulement si cela ne te dérange pas.

— Pas de problème, maman. Vas-y. Mais pas d'alcool au volant, hein?

À onze heures, nous avons ramené Amanda chez elle. Lorsque nous sommes arrivés devant son immeuble, Cosmo m'a demandé de l'attendre dans l'auto, pendant qu'il la raccompagnait jusqu'à sa porte.

Je me suis installé sur le siège du passager et je les ai observés. Ils ont discuté quelques minutes et je pensais que ça allait s'arrêter là, quand tout à coup, Cosmo s'est penché et l'a embrassée. Je m'attendais à ce qu'elle le repousse, mais non! En fait, elle a mis les bras autour de son cou et l'a embrassé à son tour. Ils ont dû se bécoter pendant une bonne grosse minute. Je me suis penché par-dessus le siège du conducteur pour mieux voir, mais par mégarde, j'ai appuyé sur le klaxon. Ils ont sursauté et Cosmo est revenu à l'auto quelques secondes plus tard.

— Qu'est-ce qui t'a pris ?

— C'était un accident.

Non seulement Cosmo a attendu qu'Amanda soit rentrée dans l'immeuble, mais il s'est assuré aussi qu'elle était montée à son appartement : nous avons aperçu les lumières s'allumer au deuxième étage, puis Amanda est sortie sur son balcon et nous a fait signe de la main. J'ai dit :

— Elle est super.

— Oh que oui !

— Magnifique sourire.

— Oh oui.

— Des dents mignonnes.

— Mmm.

— Une poitrine fabuleuse.

Cosmo s'est avancé vers moi et m'a tapé sur la nuque.

— Aïe !

Il chantonnait encore.

— Je pense qu'elle a vraiment hâte de faire de l'escalade avec nous vendredi prochain, ai-je dit.

— Ouais, merci pour la suggestion. As-tu la moindre idée de ce que ça coûte d'aller là-bas ?

J'ai haussé les épaules :

— Alors, il faut que tu te mettes sérieusement à chercher du travail.

thé, été, notée, thon, néon, non, éhonté, étonné

HONNÊTE

Le mercredi suivant au club de scrabble, j'ai remporté deux de mes trois parties avec des scores de plus de 300 points. Je me suis aussi très bien comporté : aucune plainte (même si ça m'a démangé de me taire après avoir pigé les lettres «O, U, I, I, O, U, K»), ni de danse de la victoire quand j'ai gagné. Mais je n'ai pas pu m'empêcher d'afficher un large sourire lorsque j'ai réussi à battre Joan à nouveau.

— Tu pourrais effacer cette grimace de ta face, m'a-t-elle dit.

— Je suis désolé. Je souris seulement parce que ça signifie beaucoup de choses pour moi de battre quelqu'un d'aussi talentueux que vous. Est-ce que je vous ai déjà dit que le rose vous allait admirablement bien au teint ?

Bon, je sais, j'en ai rajouté un peu, mais je pense qu'elle a apprécié parce qu'elle m'a souri.

Le soir, j'étudiais le *Dictionnaire du Scrabble experts,* le livre qu'Amanda m'avait offert. Il est intéressant même s'il ne donne aucune définition. C'est simplement des listes de mots et je n'en connaissais que quelques-uns d'entre eux sur chaque page. Et c'est vrai qu'il y avait tous les jurons. J'ai découvert une dizaine de façons différentes de dire tab...

Vendredi, maman m'a annoncé qu'elle retournerait prendre un verre avec Jane après ses cours. Inutile de préciser que je ne l'ai pas fait culpabiliser cette fois-ci. Après son départ, Cosmo m'a donné un autre cours d'autodéfense. Je n'étais pas encore très habile, mais je m'étais amélioré depuis la première leçon et, comme me le rappelait mon voisin, c'est ça l'important.

Ensuite, j'ai pris une douche et je me suis changé. Pendant que nous étions en route vers l'appartement d'Amanda, je lui ai demandé comment il comptait tout payer. Il m'a répondu :

— Attends, je vais vous expliquer à tous les deux.

Escalaroc a été une super sortie. Comme ma maman ne me laissait jamais rien faire de physique parce qu'elle craignait que je ne me blesse, j'ai eu mal aux bras après seulement trois ascensions. Mais j'ai continué. C'était à la fois exaltant et terrifiant d'être si loin du sol, même si je me sentais parfaitement en sécurité avec l'instructeur qui me retenait en bas. Amanda et Cosmo s'amusaient aussi beaucoup et je les ai aperçus se donner des bisous entre les escalades.

Vers la fin, Cosmo a réussi à atteindre le sommet d'une paroi de calibre 8. Il avait le sourire fendu jusqu'aux oreilles et a lancé tout haut :

— Ça, c'était un bon *trip*.

Après, nous sommes allés dans un restaurant de hamburgers avec une salle de jeux électroniques. Cosmo a fait une annonce :

— J'ai trouvé du travail.

— C'est formidable ! a dit Amanda.

— Tu vas faire quoi ? l'ai-je interrogé.

— De la construction. Un ami de mon beau-frère est contremaître sur un gros chantier au centre-ville. J'irai de temps en temps pour commencer, mais j'espère que ça deviendra un emploi à temps plein, une fois que j'aurai fait mes preuves.

— Il faut porter un toast, a déclaré Amanda.

Nous avons levé nos verres.

— Vous êtes-vous déjà demandé pourquoi les édifices ne s'appellent pas plutôt des édifiés ? ai-je ajouté.

Ils ont ri tous les deux. Après avoir mangé nos délicieux hamburgers, Cosmo m'a donné une poignée de pièces de un dollar en me proposant d'aller jouer dans les machines à l'avant. Maman ne me le permet jamais, alors, même si je savais qu'il avait fait ça pour que je le laisse seul avec Amanda, ça ne me dérangeait pas.

Je suis devenu accro au jeu de course automobile. J'ai joué plusieurs fois de suite pour voir si je pouvais demeurer sur la piste plus d'une minute sans provoquer d'accident. Je venais de réussir à tenir presque deux minutes (mon record personnel) quand mon téléphone a sonné. J'ai regardé l'afficheur.

C'était le numéro de cellulaire de maman.

J'ai réfléchi à toute vitesse. J'ai abandonné mon jeu pour me précipiter dans les toilettes des hommes.

— Bonsoir, maman.

— Où es-tu ? Pourquoi tu n'as pas répondu à la maison ?

J'ai menti :

— Mais je suis à la maison. Je n'ai pas atteint le téléphone à temps. J'étais en train de faire un gros caca.

— Ouache, trop de détails. Écoute, Jane a annulé, elle ne se sent pas bien.

J'ai regardé ma montre : il était 22 h 15. Mon estomac n'a fait qu'un tour.

— Où es-tu ?

— J'ai pensé qu'on pourrait faire les délinquants et veiller plus tard ce soir. Que dirais-tu de jouer au scrabble ?

— Super, ai-je répondu avec une légère nausée. À tout à l'heure!

J'ai raccroché, puis je me suis précipité à notre table où Cosmo et Amanda se tenaient la main.

— Cosmo, il faut absolument qu'on parte. Ma mère est en route.

— Je ne comprends pas, a dit Amanda pendant que Cosmo remettait un billet de cinquante dollars au serveur. Sa maman ne sait pas qu'il est avec toi?

— Pas vraiment, a répondu Cosmo, dont le front se couvrait de gouttes de sueur.

— Tu sors le soir avec un garçon de douze ans sans rien dire à sa mère?

— Ce n'est pas ce que tu crois, a plaidé Cosmo pendant que nous nous précipitions vers la porte.

— Alors, c'est quoi? Sa maman devrait te faire confiance. Tu es son Grand Frère, non?

— Pas techniquement, ai-je dit pendant que nous courions dans le stationnement vers la voiture de Cosmo.

— Merci, Ambroise, a rétorqué Cosmo d'un ton ironique.

— Tu n'es pas son Grand Frère? s'est étonnée Amanda d'une voix étranglée. Tu m'as menti?

— Non. Oui. Un peu. C'est seulement... Je voulais sortir avec toi, a-t-il confessé pendant que nous montions dans l'auto.

— Alors, tu m'as menti. Et tu as utilisé un garçon de douze ans...

J'ai voulu aider Cosmo:

— Il ne s'est pas servi de moi. C'est moi qui lui avais demandé de me conduire au club de scrabble. C'est mon voisin du dessus.

Amanda a levé un sourcil pendant que nous quittions le stationnement. J'ai continué mon explication :

— Et il agit comme mon Grand Frère. Il fait tout ce que fait un Grand Frère. En fait, c'est dommage que l'association des Grands Frères vérifie les antécédents parce qu'ils pourraient s'estimer chanceux de l'avoir comme bénévole.

Cosmo s'est mis à geindre.

— Vérifier les antécédents? Tu me caches autre chose? a dit Amanda en chuchotant presque.

— Je voulais tout t'expliquer ce soir.

— Quand?

— Bientôt. Presque.

— Tout de suite.

Ce n'était plus la voix douce d'Amanda que nous avions appris à connaître et que nous aimions. C'était une voix tranchante comme de l'acier.

Cosmo a inspiré un grand coup.

— Bon. Je vis chez mes parents parce que je viens de sortir de prison. J'ai écopé d'une peine de six mois pour une série de vols par effraction, que j'ai commis pour payer ma drogue. Et non, je ne suis pas officiellement le Grand Frère d'Ambroise, mais quand je t'ai vue le premier soir, j'aurais dit n'importe quoi pour avoir la chance de passer un peu de temps en ta compagnie.

Amanda n'a pas prononcé un mot. Elle semblait bouillir de rage. Même du siège arrière, je sentais la fureur émaner d'elle comme des vagues. Mais je ne pouvais rien y faire, parce que, tandis que nous tournions au coin de ma rue, j'ai vu ma maman qui venait de descendre de l'autobus et qui arrivait de l'autre direction. J'ai gémi :

— Je suis cuit.

— Cache-toi, a dit Cosmo.

Nous l'avons dépassée, nous avons tourné au coin et nous nous sommes engagés dans la ruelle derrière la maison.

— Maintenant, cours, a dit Cosmo.

J'ai sauté de la voiture puis j'ai enjambé la clôture de la cour. J'ai tardé à trouver ma clé, mais j'ai réussi à ouvrir la porte et à allumer la lumière. J'ai eu le temps de me jeter sur le canapé, de saisir la télécommande et d'allumer la télé avant que ma mère arrive.

— Bonsoir maman! Tu veux toujours jouer au scrabble?

— Oui, m'a-t-elle répondu d'un ton las.

Elle a enlevé ses chaussures puis elle est allée prendre la bouteille de vin dans le frigo. Elle m'a dit en secouant la tête :

— J'ai cru voir Cosmo en voiture avec une jeune femme. J'ai pitié de la pauvre fille. Je parie qu'elle n'a aucune idée dans quelle histoire elle s'embarque.

Le lendemain matin, je me suis levé de mauvais poil. J'étais d'une telle humeur massacrante qu'après la lessive, maman m'a annoncé qu'elle irait se promener à la plage toute seule. J'ai répondu que je pensais que c'était une maudite bonne idée, alors elle m'a dit de surveiller mon langage, alors je lui ai dit qu'elle voyait la paille dans l'œil de l'autre, mais qu'elle ne voyait pas la poutre dans le sien, alors elle m'a dit « Ah, sacrament! », alors j'ai dit d'un ton triomphant « Tu vois bien! », alors elle a dit « Tu es mieux en cibolak d'être de meilleure humeur quand je reviendrai », alors j'ai dit « Tu vois? Tu viens encore de sacrer », alors elle a quitté la maison à toute vitesse.

Dès son départ, j'ai appelé chez les voisins. J'ai demandé à parler à Cosmo, en déguisant ma voix :

— Ambroise, c'est toi ? a demandé madame Economopoulos.

— Ambroise ? Qui est Ambroise ? ai-je dit en transformant encore ma voix.

— Nous avons l'afficheur.

— Oh, *Ambroise*, ai-je dit en prétendant que je n'avais pas compris la première fois. Désolé, j'ai un rhume. Puis-je parler à Cosmo ?

Elle lui a passé l'appareil et il a accepté de me rejoindre dans la cour cinq minutes plus tard. Il portait un survêtement en coton ouaté. J'ai eu l'impression qu'il n'avait pas beaucoup dormi. Il a allumé une cigarette, même s'il n'avait probablement pas encore déjeuné. J'ai décidé que ce n'était pas le moment de l'embêter avec ça. Je lui ai demandé :

— Qu'est-ce qui s'est passé ?

— Je l'ai raccompagnée. Je lui ai dit que ça ne se reproduirait plus, que j'étais désolé, que je faisais partie des Narcotiques Anonymes, blablabla. Elle est sortie en trombe de l'auto.

— Excuse-moi, Cosmo, tout est de ma faute, ai-je dit, alors que les larmes me montaient aux yeux.

— De quoi parles-tu ? Tout est de *ma* faute, d'accord ? C'est moi qui lui ai menti, a-t-il dit en me serrant l'épaule.

— Lui as-tu fait livrer des fleurs ?

— Non.

— Tu devrais. Les femmes aiment ça. Je l'ai lu dans un magazine dans la salle d'attente du médecin.

— Je ne sais pas si je devrais. Elle était vraiment fâchée.

— Tu ne peux pas abandonner.

Il a longuement inspiré sa bouffée de cigarette.

— Bon, alors je vais lui en envoyer. Pour le moment, il me faut un café.

Il a fait demi-tour et est rentré chez lui.

— Et le club de scrabble?

— C'est en suspens pour l'instant. Désolé, Ambroise.

J'ai senti à nouveau les larmes me monter aux yeux:

— Est-ce qu'on peut continuer les cours d'autodéfense? Je sais que tu me voyais seulement pour rencontrer Amanda, alors si tu ne veux plus...

— C'est ce que tu crois?

J'ai hoché la tête.

— Alors tu es encore plus stupide que tu en as l'air.

Il m'a donné une petite tape sur la tête. Et même si elle m'a fait un peu mal, elle m'a fait du bien.

19

S₁ G₂ U₁ R₁ O₁ D₂ E₁

roue, sûres, rouges, dorés, dures, gros, rudes, sourde, gourdes

DROGUES

Cosmo a fait livrer des fleurs à Amanda le matin même, mais elle ne lui a pas donné signe de vie. Le lundi, il m'a dit qu'il lui avait téléphoné plusieurs fois, mais elle n'était pas à la maison ou n'a pas répondu.

Comme le mercredi il n'avait toujours pas eu de nouvelles, il a refusé d'aller au club de scrabble. Cela m'a manqué encore plus que je ne le craignais. Je suis monté chez lui pour lui demander de jouer avec moi, mais madame Eco m'a dit qu'il était sorti :

— Il est à une réunion des NA.

Je suis resté aux aguets pour aller le voir et lui parler dès que je l'entendrais garer son auto, mais il n'était toujours pas rentré au retour de maman.

Le vendredi, après le départ de ma mère pour l'université, j'ai frappé à la porte arrière pour suivre ma leçon d'autodéfense. Cosmo est venu m'ouvrir, la cigarette au bec. Il portait sa camisole et son pantalon de survêtement. Il avait l'air d'un voyou et semblait nerveux.

— Est-ce que tes parents te permettent de fumer dans la maison? lui ai-je demandé, en sachant qu'ils ne le voulaient pas.

— Ils ne sont pas ici, a-t-il répondu de mauvaise humeur.

— Ils vont sentir l'odeur de cigarette.

— Ambroise, laisse tomber, OK ?

— Es-tu allé travailler aujourd'hui ?

J'en doutais, étant donné son allure.

— Non, ils n'ont pas besoin de moi autant que je l'espérais.

— Dommage.

Il y a eu un silence pénible, puis j'ai dit :

— Je me suis exercé pour les blocages. Je pense que je m'améliore.

— Ouais, parlons-en. Je ne peux pas m'entraîner avec toi aujourd'hui. Je dois sortir, a-t-il ajouté en évitant mon regard.

— Où ça ?

— C'est pas tes affaires.

— Tu pourrais me donner un indice.

— Ambroise...

— Ou bien, je pourrais t'accompagner.

— Seigneur, Ambroise, laisse tomber. Je te verrai plus tard, OK ?

Il a fermé la porte. J'avais un mauvais pressentiment, très mauvais. Alors, plutôt que de rentrer chez moi, j'ai fait le tour de la maison et je suis monté dans sa voiture. Je me suis allongé à l'arrière sur le plancher.

Quelques minutes plus tard, Cosmo est entré dans son auto et nous sommes partis.

Nous avons roulé pendant près d'une demi-heure. J'avais des crampes dans les jambes et ma ceinture de pantalon me coupait la circulation. J'ai craint de devoir me faire amputer le bas du corps à partir de la taille si je restais immobile encore longtemps. Cette pensée commençait à m'inquiéter, alors j'ai attendu qu'un bruit de klaxon me permette de changer de position sans me faire remarquer.

Je ne voyais presque rien par la vitre arrière. Je devinais que nous étions dans un quartier mal famé. Il y avait des bâtiments condamnés, des gens, ou plutôt des zombies, à l'air tragique et effrayant qui erraient. Deux d'entre eux marchaient dans la rue comme si cela leur était égal de vivre ou de mourir. À vrai dire, j'étais terrorisé. Je regrettais de ne pas être resté à la maison.

Je ne sais pas si c'était la peur ou quelque chose que j'avais mangé, mais j'ai eu tout à coup une féroce envie de péter. J'y suis allé progressivement sans faire de bruit. Pourtant, même s'il n'avait rien entendu, c'est sûr que Cosmo l'avait senti, car toutes les vitres étaient fermées. Il a marmonné :

— Oh, dégueu !

J'espérais qu'il aérerait, ce qu'il n'a pas fait parce qu'il a dû penser que l'odeur venait de l'extérieur.

Alors que je redoutais d'avoir la nausée, Cosmo a garé la voiture. Je me suis caché et, quand il a baissé sa vitre, j'ai senti un courant d'air frais. Je l'ai entendu dire :

— Hé. Tu as quelque chose aujourd'hui ?

Ensuite, j'ai entrevu deux types bien amochés — l'un d'eux avait de longs cheveux gras et l'autre, au crâne rasé, arborait un énorme tatouage de main sur son front. Le Tatoué a demandé :

— Qu'est-ce que tu cherches ?

— N'importe quoi, a répondu Cosmo.

— Si tu as de l'argent, on peut trouver tout ce que tu veux, a dit le Tatoué en fouillant dans sa poche.

Soudain, le gars aux cheveux sales m'a aperçu à l'arrière :

— Tu en veux aussi pour le petit ?

Oh non !

Cosmo s'est retourné lentement. Je me suis assis et je l'ai salué mollement de la main :

— Oh, salut !

J'ai perçu un éclair de rage traverser son regard. Pendant un instant, j'ai eu peur de lui et de ce qu'il pourrait faire. Mais la fureur a disparu aussi rapidement qu'elle avait surgi, et il a semblé se dégonfler.

— Oubliez ça, a-t-il lancé aux deux hommes.

Il a redémarré. J'ai pu entendre les inconnus nous insulter pendant que nous nous éloignions.

Cosmo a gardé le silence durant quelques minutes, puis il a dit :

— Tu ferais mieux de t'installer à l'avant.

J'ai donc enjambé la banquette et je me suis assis sur le siège du passager. J'ai bouclé ma ceinture et verrouillé la portière parce que j'avais peur. Je lui ai demandé :

— Est-ce qu'il y a une rencontre des NA aujourd'hui ?

— Il y en a tous les jours.

— Je pense qu'on devrait y aller.

— Ambroise, ça s'appelle les Narcotiques *Anonymes*.

— Bon, alors tu entres et je t'attends dans l'auto.

Il m'a regardé et a levé les yeux au ciel :

— Il n'y en a pas deux comme toi.

— C'est un compliment ?

— Une observation.

Cosmo savait qu'il y avait une rencontre des NA à Kerrisdale, un quartier de l'ouest de Vancouver. Nous nous y sommes rendus ensemble. C'était une belle journée de début avril, alors je suis allé l'attendre sur un banc dans un parc à côté, en mangeant un gigantesque sac de croustilles qu'il m'avait acheté. Je réfléchissais.

Contrairement à ce que mon professeur de quatrième année m'avait déjà dit, je n'étais pas un parfait imbécile. Je savais bien que je ne pouvais pas surveiller Cosmo 24 heures sur 24. Je savais que, s'il voulait recommencer à se droguer, ce serait impossible pour moi de l'en empêcher.

Je devais donc trouver un moyen de lui faire oublier la drogue. Quelque chose qui le ferait se sentir bien dans sa vie et avec lui-même.

À son retour, je lui ai dit :

— J'ai un plan.

— Un plan pour quoi ?

— Pour reconquérir Amanda.

— C'est fou, a dit Cosmo tandis que nous étions devant l'immeuble d'Amanda le lendemain soir.

Je l'ai corrigé :

— Non, c'est romantique.

Nous portions des tee-shirts imitant des smokings que j'avais achetés à l'Armée du Salut l'après-midi même, avec une partie de ma collection de 25 cents. Cosmo tenait un bouquet de fleurs à la main.

De la lumière sortait de l'appartement d'Amanda, alors nous étions presque certains qu'elle se trouvait chez elle. Sur le balcon, on apercevait un vélo rose avec des poignées en tricot, ainsi que des plantes en pots. Par chance, la porte-fenêtre était légèrement ouverte.

J'ai déposé la minichaîne stéréo de ma mère sur le trottoir, et j'ai remis une feuille à Cosmo en lui disant :

— Tu es prêt ?

— Non.

J'ai appuyé sur le bouton « PLAY » et la voix de Luther Wright chantant *Darlin'* s'est élevée à plein volume dans la nuit. Cosmo et moi avons entonné :

— Darlin' quand tu m'aimes, je me sens bien...

Par contre, Cosmo ne chantait pas, il marmonnait. Alors j'ai arrêté la musique :

— Allez, il faut chanter fort. Mets-y du cœur.

Quelques passants qui déambulaient sur le trottoir pour profiter de la douce soirée nous regardaient avec curiosité. Le visage de Cosmo était rouge betterave :

— Je n'y arriverai pas.

— Pourquoi ?

— Parce que je vais avoir l'air d'un parfait imbécile.

— Peut-être, mais au point où tu en es, elle pense déjà que tu es un parfait imbécile, alors qu'est-ce que tu as à perdre ?

— Effectivement. Il faut en finir, on y va, a-t-il admis en soupirant.

J'ai appuyé à nouveau sur le bouton et cette fois, Cosmo a chanté à pleins poumons avec moi. Il avait une voix, disons, fausse, ce qui m'inquiétait. Un vieil homme s'est arrêté pour nous dévisager et quelques voisins d'Amanda sont sortis sur leurs balcons.

— *On peut parler de tout ensemble,*
    comme la dernière fois
    où on a perdu la tête,
    et j'ai perdu une dent.

« J'ai perdu une dent » était mon passage préféré. Je me disais que ça démontrait que nous avions nous aussi un bon sens de l'humour.

Au moment où je craignais que tout le monde dans l'immeuble ne nous entende chanter à l'exception d'Amanda, une femme est sortie sur le balcon, suivie d'autres. Elles tenaient toutes des aiguilles à tricoter et des chandails ou des foulards à moitié terminés. J'ai pensé qu'Amanda les avait probablement accueillies pour une soirée Les Cocottes tricotent. Le visage de Cosmo était encore plus rouge, ce qui me semblait impossible, mais il a continué à chanter :

— *Tu dis que tu aimes mon sourire,*
   et même si je ne peux pas mastiquer,
   je peux faire bien pire
   quand tu es à mes côtés.

Des femmes se sont mises à rire.

— Amanda, tu ferais bien de sortir ! a crié l'une d'elles.

Nous l'avons enfin vue surgir sur le balcon. Elle était superbe, même si elle ne portait qu'un pantalon d'entraînement et un tee-shirt, et qu'elle avait une queue de cheval. Elle a d'abord semblé intriguée, mais lorsqu'elle nous a aperçus, Cosmo et moi, elle s'est rendu compte que le petit numéro lui était destiné. Elle a été étonnée puis gênée. Même dans la lumière du jour qui faiblissait, je voyais son visage prendre la couleur de celui de Cosmo.

— *Je vaux bien plus*
   que tous les crétins
   que tu as connus
   et c'est vrai, hein !

À la fin de notre chanson, des passants nous ont applaudis, de même que quelques membres du groupe Les Cocottes tricotent.

— Qu'est-ce que tu veux ? a demandé Amanda.

J'étais déçu parce que sa voix avait la même froideur d'acier que la dernière fois où nous l'avions vue. Cosmo a lancé :

— Je veux seulement te parler.

Elle a pincé les lèvres. Ses copines Cocottes attendaient, le souffle coupé. L'une d'elles lui a donné un coup de coude pour l'encourager.

— C'est bon, a-t-elle fini par dire. Monte.

Nous sommes arrivés à sa porte au moment où les Cocottes s'en allaient. Quelques-unes ont souri à Cosmo, mais la plupart lui ont lancé un regard méchant. J'ai deviné qu'entre leurs mains, les aiguilles à tricoter pouvaient se transformer en arme fatale.

Nous sommes entrés. Le logement d'Amanda était minuscule, mais propre et plein d'éléments rigolos comme des vieilles affiches de cinéma et une collection d'assiettes d'anciennes émissions pour enfants. Elle avait aussi des étagères chargées de figurines de superhéroïnes comme Wonder Woman et Batgirl.

— Bel appartement. Est-ce un lit escamotable? lui ai-je demandé en désignant, au milieu d'un mur, un grand panneau de bois où était fixée une poignée.

— Eh oui, m'a-t-elle répondu en m'ébouriffant les cheveux. Je suis contente de te revoir.

Son sourire a disparu quand elle s'est tournée vers Cosmo, les bras croisés :

— Tu veux parler? Alors, parle.

Cosmo m'a jeté un regard :

— Tu peux nous laisser un instant, Ambroise?

Comme ma seule autre option était la salle de bains, j'ai choisi de sortir sur le balcon en prenant soin de laisser la porte-fenêtre entrouverte pour tout entendre.

— Amanda, tu ne peux pas savoir à quel point je regrette. J'aimerais que tu m'accordes une deuxième chance.

— Je vais te raconter une histoire. La dernière fois que je suis sortie avec un type, ça a duré trois ans. Nous étions fiancés quand j'ai découvert, complètement par hasard, qu'il m'avait trompée presque dès le début avec un tas de femmes différentes. Il m'a dit qu'elles ne comptaient pas pour lui. Je l'ai mis à la porte le soir même et je ne lui ai jamais reparlé. Alors, comme tu vois, je n'ai pas l'habitude de laisser une deuxième chance.

— Mais je ne suis pas comme ça...

— Tu as été le premier homme depuis cette histoire qui m'a assez plu pour que j'aie envie de commencer une nouvelle relation. J'avais des doutes, mais tu étais un Grand Frère et tu semblais si honnête... J'ai eu l'air ridicule encore une fois, Cosmo. Je refuse d'être traitée en imbécile.

— Je ne t'ai jamais considérée comme une imbécile, Amanda. C'est moi qui suis stupide. J'ai pensé que si je te disais la vérité, tu ne voudrais jamais sortir avec moi.

— Tu as probablement raison.

— Je te jure que ça ne se reproduira plus.

— Et comment puis-je en être sûre ?

— Tu penses que je me laisserais humilier comme je viens de le faire devant chez toi si je n'étais pas sincère ?

J'ai entendu Amanda rigoler, ce qui était bon signe.

— Je t'aime beaucoup, Amanda.

— Je t'aime bien, moi aussi.

J'ai jeté un coup d'œil, et j'ai vu Cosmo assis à côté d'Amanda sur sa causeuse rouge cerise. Il lui tenait la main. Je me suis senti le cœur léger pour la première fois depuis des semaines.

— Je vais te dire une chose. Reviens aux soirées du club de scrabble et on refera connaissance. Mais seulement en amis pour le moment.

— Bonne idée.

— Eh, Ambroise, comme de toute façon tu nous écoutes, viens donc nous rejoindre.

J'ai pensé faire semblant que je n'avais rien entendu, mais ça n'aurait rien donné, alors je suis entré. Amanda m'a dit :

— J'ai quelque chose pour toi.

— Quoi ?

Elle s'est dirigée vers un bureau près de la porte d'entrée.

— Tout le monde s'ennuie de toi au club. Même Joan.

— Vous m'avez manqué aussi.

— Mais si tu veux revenir, tu dois demander à ta maman de signer ceci, a-t-elle dit en me remettant une feuille.

— Qu'est-ce que c'est ?

— Un formulaire de consentement.

Mon sang n'a fait qu'un tour.

— Et si elle ne le signe pas ?

— Alors, tu ne peux pas faire partie du club.

— Tu veux dire que tu vas m'expulser ?

— Mets-toi à ma place. Je pourrais avoir des tas de problèmes.

— S'il te plaît, ne me renvoie pas.

— Je ne le ferai pas, si ta maman signe.

— Ce n'est pas aussi simple.

— Pourquoi ?

— Ouais, est intervenu Cosmo. Ce serait quoi la pire chose qui pourrait arriver ?

La pire chose, c'est que ma mère aurait capoté quand elle aurait appris : a) que je lui avais menti et b) que je fréquentais un ex-prisonnier après lui avoir promis que je ne le ferais pas. Et que pour les raisons a) et b), elle aurait fait la même chose qu'à Edmonton lorsqu'elle s'était lassée de son emploi, et qu'à Regina quand elle s'était lassée de Nana Ruth, et qu'à Kelowna quand on l'avait congédiée parce qu'elle s'était soûlée au party de Noël et qu'elle avait raconté des blagues sur le doyen qui se trouvait être juste derrière elle, et qu'à Calgary quand mon papa était mort et qu'elle avait perdu son travail parce qu'elle était en deuil, et qu'ils ne lui avaient jamais offert un poste à temps plein mais l'avaient plutôt laissée partir au bout de deux ans. À chaque fois, elle faisait les bagages et nous déménageait dans une autre ville en s'attendant à ce qu'on puisse tout recommencer à zéro.

C'est la pire chose qui pourrait se produire.

Mais tout ce que j'ai dit à Cosmo et Amanda, c'est :

— Bien. Je vais essayer.

20

E₁ S₁ I₁ N₁ O₁ V₄ A₁

nova, naïves, savon, avoine, soin, vois, vise, vase

ÉVASION

Mais par quoi commencer dans une situation comme celle-là? Il n'y avait pas seulement un mensonge, mais plusieurs empilés les uns par-dessus les autres comme les gâteaux chics de la pâtisserie Bon Ton sur Broadway, que maman n'achète jamais par crainte des arachides, mais aussi parce qu'elle dit que ce sont des calories vides (peu importe ce que ça veut dire).

J'ai essayé de monter un scénario à l'avance dans ma tête. *Maman, il faut que je te dise quelque chose. Je fréquente le Club de Scrabble de l'Ouest depuis quelques mois maintenant. C'est Cosmo qui m'y emmène en voiture. Tu sais, Cosmo, l'ancien drogué? On est devenus bons amis. Je suis même sorti avec lui et sa nouvelle copine, Amanda. La semaine dernière, nous sommes allés faire de l'escalade en gymnase, et ce n'est vraiment pas dangereux. Et tu sais, le soir où tu l'as vu dans son auto avec une fille? Et bien, j'étais dans l'auto moi aussi. On essayait d'arriver avant toi à la maison. Ha, ha, ha.*

Je ne parviendrais jamais de la vie à dire ça.

Le dimanche soir, maman et moi avons joué au scrabble en écoutant ses disques. Je l'ai battue à plate couture: 302 à 125. Elle a contesté six de mes mots qui figuraient tous dans l'*Officiel du jeu Scrabble* (c'est celui que nous utilisons parce qu'elle ne sait même pas que je possède le *Dictionnaire du Scrabble experts*).

Elle a semblé incrédule après la partie:

— Je ne pensais pas que c'était possible, mais tu t'es encore amélioré. En fait, je n'ai plus de plaisir à jouer avec toi.

Elle souriait, mais je savais bien qu'elle le croyait un peu. Et moi, j'étais quand même heureux parce que je me suis rappelé ce que Mohammed m'avait raconté lors de ma première visite au club : ses colocataires ne voulaient plus l'affronter. Cela voulait peut-être dire que je n'étais plus un joueur du dimanche.

Et tout à coup, j'ai compris comment aborder le sujet du club de scrabble : je n'avais qu'à utiliser des stratégies propres à ce jeu. Il ne s'agit pas seulement d'avoir un vocabulaire étendu, il faut aussi choisir judicieusement les lettres que l'on conserve et celles dont on se débarrasse.

En bref, je n'étais pas obligé de dire toute la vérité à ma mère. Je pouvais me contenter de lui en révéler une partie et de garder le reste pour moi.

Je me suis lancé tandis qu'elle se versait un verre de vin après avoir rangé le jeu :

— J'adore jouer au scrabble.

— Je le sais.

— C'est une chose pour laquelle j'ai du talent et j'en suis fier !

Je savais que c'était ce qu'il fallait dire. Maman a toujours voulu que je découvre ce qui me rendrait heureux et jusqu'ici, dans mes douze ans et neuf mois de vie, je n'avais rien gagné, sauf le ruban remis à tous les participants à la fin d'une journée d'activités sportives à Regina.

— Où veux-tu en venir ?

— Quand on était sur Broadway l'autre jour, j'ai vu sur un poteau une annonce pour le Club de Scrabble de l'Ouest. J'aimerais vraiment en faire partie.

Techniquement, je ne mentais pas, même si cela s'était produit plusieurs semaines auparavant.

— Un club de scrabble ? Ça semble amusant.

— Alors, est-ce que je peux ?

— C'est quand ?

Elle se dandinait au son de la musique de Luke Doucet, un autre Canadien, en buvant son vin. Pendant un moment, j'ai eu l'impression de l'apercevoir comme mon papa la voyait il y a long-temps : insouciante et heureuse, et même amusante peut-être.

— Le mercredi soir, à sept heures, à l'Église Unie de l'Ouest.

— Mais c'est près de l'université.

— Je pourrais prendre l'autobus.

— Tout seul ?

— Maman, j'ai douze ans et trois quarts. Treize ans en juillet.

Elle a secoué la tête :

— Je suis désolée, Ambroise, il est hors de question que je te laisse prendre l'autobus tout seul le soir…

— Au printemps, il fait à peine noir à sept heures.

— Mais en fin de soirée ?

J'allais presque lui proposer qu'elle passe me prendre après ses cours, mais je me suis rappelé qu'il ne fallait pas qu'elle sache que Cosmo faisait aussi partie du club.

— Je suis sûr que quelqu'un pourrait me ramener.

Elle a arrêté de danser et a éteint la minichaîne.

— Ambroise, est-ce que j'ai l'air d'une épaisse ? Je ne te permettrai jamais de monter dans l'auto d'un étranger.

— Mais après quelques semaines, ils ne seraient plus des étrangers.

— Je regrette, mais la réponse est « non ».

J'étais à court d'arguments.

— Et si je trouvais quelqu'un que tu connais et en qui tu aurais confiance pour m'y amener?

— Qui donc?

— Les Eco? Peut-être que l'un d'eux pourrait me conduire.

— Madame Economopoulos n'a même pas son permis. Et as-tu déjà vu son mari au volant? C'est un vrai miracle qu'il soit encore en vie et qu'il n'ait tué personne.

— Cosmo, alors.

C'était sorti sans que j'y pense. Elle m'a lancé un regard glacial:

— Je suis vraiment désolée, Ambroise. Si je pouvais y aller avec toi, si c'était la fin de semaine, je n'hésiterais pas une seconde. Mais là, dans ces conditions, je serais une bien mauvaise mère si j'acceptais.

— Maman, s'il te plaît!

— Fin de la discussion.

Elle a pris son verre de vin, est entrée dans sa chambre et a fermé la porte.

J'ai réfléchi quelques instants et je suis parti dans ma chambre. J'ai sorti le formulaire de consentement de mon bureau, un stylo et, de mon écriture la plus soignée, j'ai écrit *Irène Bukowski,* sur la ligne après « SIGNATURE D'UN PARENT OU D'UN TUTEUR ».

Cosmo et moi sommes retournés au club de scrabble le mercredi suivant. Il ne m'a posé aucune question sur ma mère, et je lui en étais reconnaissant. En roulant, nous avons surtout parlé de la pluie et du beau temps, une chose que les Vancouvérois aiment faire, ai-je remarqué.

Mais pour la première fois depuis que nous allions au club, je me sentais coupable. Avant, j'avais au moins l'excuse que maman ne m'avait jamais interdit d'y aller, puisque je ne lui en avais jamais parlé. Mais maintenant, je savais exactement ce qu'elle en pensait et j'étais à cent pour cent certain de lui désobéir.

J'ai rapidement chassé ces réflexions dès notre arrivée au sous-sol de l'église.

Mohammed m'a accueilli d'un « bienvenue » chaleureux en me remettant une liste de mots qu'il avait imprimée juste pour moi.

— On pensait t'avoir perdu, a dit une femme du nom de Beth.

C'était un sentiment très agréable d'apprendre que je leur avais manqué, même si je n'avais pas été absent longtemps. Même Joan et moi nous entendions mieux depuis que je lui avais parlé de mon allergie, et qu'elle m'avait révélé souffrir d'intolérance au lactose.

— Comment allez-vous ce soir, Joan? lui ai-je demandé pendant que nous installions les plateaux de jeu et les pions sur les tables.

— L'enfer. J'ai mangé une salade grecque ce midi et ils m'ont juré-craché que le fromage feta était fait de lait de chèvre, mais vu comment je me sens, je sais qu'il était au lait de vache. Mon ventre fait des bruits et des gaz depuis des heures.

Elle m'en a fait la démonstration en laissant échapper un long pet. J'étais bien content de ne pas l'affronter ce soir-là puisque nous étions six débutants.

Une fois tous assis sur nos chaises d'enfants, Amanda a fait quelques annonces :

— Si quelqu'un a vu la minuterie de Susan, dites-le-lui s'il vous plaît. Elle la cherche depuis la semaine dernière.

Larry a participé au tournoi de Portland : il a remporté dix de ses quatorze parties, ce qui lui a permis d'améliorer son classement de cent points. Il en est maintenant à 1 767. Félicitations, Larry !

Tout le monde a applaudi et Larry, toujours vêtu de son pantalon d'entraînement taché, nous a salués bien bas. Amanda a repris la parole.

— Bien entendu, la nouvelle la plus excitante, c'est que notre tournoi annuel aura lieu dans trois semaines, le samedi 14 mai. Nous jouerons huit parties. Les concurrents devront être sur place à huit heures et demie le matin et nous espérons avoir tout fini à six heures. J'ai déjà reçu plus de soixante-quinze inscriptions. Il y aura des gens qui viennent de loin, de Boston, au Massachusetts, et de Sacramento, en Californie. Le temps presse si vous n'êtes pas encore inscrits. Vous devez remettre votre formulaire et votre chèque d'ici samedi, au plus tard.

Ensuite, nous avons commencé à jouer. Malgré mon sentiment de culpabilité envers ma mère, je me suis plongé immédiatement dans le jeu. Pour la première fois, j'ai gagné mes trois parties et Cosmo en a remporté deux.

Nous étions donc sur un petit nuage lorsqu'Amanda est venue vers nous à la fin de la soirée. Elle m'a demandé :

— As-tu parlé du club à ta maman ?

— Oui, ce qui, techniquement, n'était pas un mensonge.

— Et puis ?

— Ça va, ce qui, techniquement, était un mensonge.

— As-tu apporté le formulaire ?

J'ai hoché la tête et je le lui ai remis. Elle l'a regardé, Cosmo aussi, et tout à coup, j'ai senti des gouttes de sueur couler de mes aisselles. Mais ils n'ont apparemment rien remarqué.

— Alors, c'est super. En plus, je suis convaincue que tu devrais participer au tournoi.

— Vraiment?

— Tu es prêt, Ambroise. Cosmo, je pense que tu devrais t'inscrire toi aussi. Tu t'améliores. Tu ne peux pas te classer à moins de faire un tournoi. Si tu veux te consacrer sérieusement au scrabble, c'est la prochaine étape à franchir. Et puis, on s'amuse beaucoup.

Elle nous a remis deux formulaires, mais lorsque Cosmo a essayé de lui donner un petit baiser sur la bouche, elle a tourné la tête pour qu'il atterrisse sur sa joue.

Sur le chemin du retour, Cosmo a dit:

— Tu as imité sa signature, hein?

Je n'ai rien répondu.

— Ambroise?

— Je ne te dirai rien. Tu as promis d'être Monsieur Honnêteté, hein? Tu te sentirais moralement obligé de le dire à Amanda.

— Je ne ferais jamais ça.

J'ai regardé par la vitre, en souhaitant tout à coup me retrouver à la maison avec ma maman, tous les deux collés sur le canapé, en train de regarder un vieux film, comme nous le faisions de temps en temps avant qu'elle ne soit obligée d'enseigner le soir.

— J'ai essayé d'en parler à maman, mais il y a tellement de choses que je ne pouvais pas lui avouer.

— Comme le fait qu'on se voit, toi et moi.

Je me suis tu.

— Elle ne m'aime pas.

— Non, mais tout ce qu'elle sait de toi, c'est que tu es un ex-prisonnier et un toxicomane. Tu ne peux pas vraiment lui en vouloir.

— Mais si elle apprenait à me connaître ?

— Ça ne changerait rien. Elle n'aurait pas confiance en toi. Elle se demanderait si tu es gentil parce que tu es un pédophile qui a l'intention de me kidnapper, ou bien parce que tu veux que je vende de la drogue pour toi, ou bien pour que je n'ose pas lui avouer que tu me tripotes.

— Merde !

— C'est comme ça que son cerveau fonctionne. Je lui ai dit que je pourrais prendre l'autobus pour aller au club, mais la seule chose à laquelle elle pense, c'est qu'un étranger pourrait me suivre. Ou bien elle imagine qu'un type louche deviendrait copain-copain avec moi avant de me tuer. Ou bien elle s'imagine que je me ferais frapper par une auto si je traversais la rue sans elle.

— Ce sont des pensées très sombres.

— Je sais, mais peut-être qu'on serait pareils si on perdait quelqu'un subitement comme elle a perdu mon père. Tout est normal le matin — il lui caresse le ventre et l'embrasse avant d'aller travailler — et puis, boum ! Il meurt parce qu'une bombe à retardement a sauté dans son cerveau.

Nous avons poursuivi la route en silence. Lorsque nous sommes arrivés à la maison, Cosmo m'a tendu les formulaires qu'Amanda nous avait donnés :

— Tu vas t'inscrire ?

J'ai secoué la tête :

— J'aimerais bien, mais c'est un samedi et ma mère ne travaille pas. En plus, ça coûte quarante dollars.

— Bon, eh bien si tu changes d'avis, je peux te prêter l'argent. Il semble que je vais pouvoir travailler un peu plus au chantier.

— Ça, c'est une bonne nouvelle.

Puis, je me suis senti obligé de lui demander :

— As-tu réessayé d'acheter de la drogue ?

Il a secoué la tête :

— Non. Et toi, as-tu jeté ton pantalon mauve ?

— Jamais dans cent ans.

Nous nous sommes souhaité bonne nuit. Cosmo est monté par l'escalier avant, tandis que je me dirigeais vers l'entrée de notre appartement sur le côté de la maison. Tout à coup, je l'ai entendu dire très fort un des dix synonymes du mot « m... » qui figurent dans le *Dictionnaire du Scrabble experts*.

Je me suis précipité vers la véranda. Il regardait par la fenêtre du salon. En fait, il n'y avait plus de fenêtre, parce qu'il ne restait que quelques éclats de verre accrochés au châssis.

Quelqu'un avait lancé une pierre.

21

éclair, arme, larme, rime, clamer, calmer, rail, ciel, créma, merci

MIRACLE

Cosmo a refusé que je le suive à l'intérieur, et il a aussi refusé que j'appelle la police. Je suis donc resté dehors à grelotter, engourdi et effrayé.

Après quelques minutes, il m'a dit que je pouvais entrer.

— Il ne semble rien manquer.

— C'était un message, hein ? « Tu m'en dois une. »

— Non, c'étaient des jeunes. Une mauvaise blague.

— Mais...

— Tu as compris ce que je t'ai dit ?

— Ouais.

J'ai compris. Il me disait qu'il valait mieux pour lui — pour nous deux, en fait — que tous ceux qui vivaient dans cette maison croient la même chose.

— C'est épouvantable ce qui est arrivé aux Economopoulos, a dit maman pendant que nous marchions vers l'école des Cyprès le lendemain.

C'était un superbe après-midi d'avril et c'était encore plus spécial, parce qu'il avait plu durant trois jours. Les chauds rayons du soleil sur la pelouse humide, les arbres et les millions de fleurs de toutes les couleurs qui sortaient partout embaumaient l'air.

— De stupides adolescents, ai-je répliqué.

— J'avais choisi ce quartier parce qu'il est censé être sécuritaire. Et puis, on se retrouve dans la même maison qu'un ex-prisonnier et puis...

— Maman, *on l'est*, en sécurité.

Je me suis branché à ma cyberprof et, comme d'habitude, monsieur Acheson est venu nous saluer. Il était très élégant dans un complet bleu marine que je n'avais jamais vu, et il semblait avoir perdu du poids. Ma mère et lui se sont éloignés pour discuter de je ne sais quoi, pendant que je faisais mon travail. Je n'ai pas quitté mon poste jusqu'au retour de maman : j'avais retenu ma leçon la dernière fois que j'avais voulu rentrer seul à la maison. Elle était encore en retard. En l'attendant, j'ai cru voir passer Troy et je me suis demandé quel pauvre innocent les Trois Gros Cochons avaient choisi de martyriser maintenant que je n'étudiais plus à l'école.

Comme je l'ai dit, c'était une journée comme les autres, en fait, jusqu'à ce qu'on soit de retour chez nous, parce qu'un miracle s'est produit. Un petit miracle, mais tout de même un de ces courts moments de perfection qui nous porte à croire qu'il existe vraiment un Être Supérieur là-haut, et que pendant un bref instant, Il veille sur nous, et sur nous seulement.

Maman écoutait de la musique en préparant du thon en casserole pour mon souper. Je lisais *Sang d'encre*, la suite de *Cœur d'encre*.

Elle a mis le plat au four, puis s'est tournée vers moi :

— Ambroise, il faut que je te parle.

— De quoi ?

— Referme ton livre.

Elle a éteint la minichaîne et s'est assise à côté de moi sur le canapé. Je l'ai regardée. Elle avait un ton et un air sérieux. Mon estomac a commencé à se nouer dangereusement. J'étais sûr que j'étais cuit. Elle avait probablement découvert que Cosmo et moi passions du temps ensemble.

— Tu sais que je n'aimerai jamais aucun homme comme j'ai aimé ton père.

— Ouais.

— Et tu sais que ma plus grande priorité à tout jamais c'est toi, Ambroise. Tu es la personne la plus importante dans ma vie, point.

— Je sais ça.

J'ai senti la panique me gagner. Elle allait m'annoncer qu'il lui restait six mois à vivre.

— Maman, est-ce que ça va ? Es-tu malade ?

Elle a éclaté de rire :

— Oh non, Dieu merci !

Elle a inspiré profondément, puis a repris :

— Un homme m'a demandé de sortir avec lui.

— Sortir ?

— Euh... ce n'est pas vraiment une sortie, c'est pour suivre un cours de cuisine d'une journée.

— Qui t'a invitée ?

— Bob. Monsieur Acheson.

— Tu te moques de moi !

Mais je comprenais bien que ce n'était pas le cas. Je savais maintenant pourquoi il passait si souvent nous voir « l'air de rien ». Quand même, j'arrivais mal à m'imaginer monsieur Acheson, avec ses poils dans le nez, ses cravates loufoques et son front dégarni, sortir avec quelqu'un, encore moins avec ma propre mère.

— C'est une drôle d'histoire en fait, a raconté maman en tortillant une mèche de cheveux autour de son doigt, signe indéniable de nervosité. Il a gagné un concours. Il avait rempli un coupon de tirage dans une librairie, et il a remporté deux places pour un cours de cuisine italienne, samedi dans deux semaines. Alors, d'une certaine façon, ce n'est pas une vraie sortie. On va seulement... faire une activité, et je me suis dit que ça ne pourrait pas nuire que j'apprenne de nouvelles techniques...

Elle me regardait l'air inquiet, parce que j'étais muet comme une carpe. Et j'étais muet comme une carpe, parce que je n'arrivais pas à imaginer ma mère et mon ex-directeur d'école ensemble, mais surtout parce que je me disais que le tournoi de scrabble aurait lieu lui aussi exactement deux semaines plus tard. Elle irait à son cours et moi, je pourrais participer au tournoi.

— Ambroise, si tu préfères que je reste, tu n'as qu'à le dire. Je l'appellerai et je refuserai. En fait, je devrais lui téléphoner tout de suite...

— Non! ai-je crié, ce qui l'a fait tressaillir. Je veux dire... bien sûr que tu devrais y aller. Tu devrais sortir avec des hommes. Tu es pas mal pour ton âge.

— Oh, merci.

— Pas de quoi. Seulement... ne regarde pas dans ses trous de nez. Il a beaucoup de poils.

— Vraiment? Je n'avais pas remarqué. En fait, je le trouve plutôt charmant.

J'ai failli faire semblant de vomir, mais je me suis retenu.

— Tu es vraiment sûr que ça ne te dérange pas.

— Sûr, sûr. Vas-y.

Elle m'a souri, soulagée.

Et moi de même.

Je flottais sur mon petit nuage quand maman est partie à l'université en fin d'après-midi. Je voulais courir chez Cosmo pour lui annoncer la bonne nouvelle, mais je me suis souvenu qu'après le travail il avait une rencontre des NA. Ses parents étaient sortis eux aussi, parce que je n'entendais ni leurs pas ni leur musique grecque.

J'ai donc réchauffé une assiette de thon, puis je me suis entraîné à faire des blocages et à donner des coups en écoutant un disque de Bryan Adams. Quand j'ai eu fini, j'ai commencé à étudier au son de la télé, pour me tenir compagnie, les listes de mots que Mohammed m'avait données.

Vers huit heures, quelqu'un a frappé à la porte.

Comme il faisait noir et que l'ampoule extérieure était grillée, je ne distinguais qu'une silhouette derrière le rideau en voile de la fenêtre. J'ai pensé que ce devait être Cosmo qui rentrait de sa réunion. Mais quand j'ai ouvert, ce n'est pas Cosmo que j'ai vu devant moi.

Mais bien Silvio.

Vous connaissez l'expression «mon sang n'a fait qu'un tour»? C'est exactement ce qui s'est produit. Il était encore plus effrayant de près. Il avait la peau grisâtre et les dents jaunies et toutes de travers.

— Hé, tu te souviens de moi? m'a-t-il demandé avec un sourire mauvais.

J'ai répondu avec un filet de voix:

— Est-ce qu'on se connaît?

— Je suis l'ami de ton oncle Cosmo.

— Ah oui. Hum... il n'est pas à la maison pour le moment.

J'ai essayé de fermer la porte, mais il m'en a empêché de son bras puissant.

— Tu n'es pas vraiment son neveu, hein ?

— Je… Que voulez-vous dire ?

— Tu me prends pour un imbécile ?

— Non.

J'avais mal au ventre et je craignais d'avoir la diarrhée directement devant lui, comme ça, là, dans mon pantalon. L'unique chose qui m'obsédait, c'était qu'il pouvait me tuer à mains nues, et que ma mère trouverait mon cadavre en rentrant du travail. Toutes ses théories de surprotection seraient justifiées, et elle serait vraiment toute seule au monde. Ces pensées m'ont donné envie de pleurer.

— Tu peux transmettre un message à ton « oncle » de ma part ?

J'ai acquiescé.

— Dis-lui que son ami Silvio est passé ce soir et qu'il réclame son dû.

— Il s'en occupe, je le jure, il me l'a dit…

— Préviens-le que cinquante dollars de temps en temps, ça ne compte pas. Je veux mon argent. Au complet. D'un coup. Sinon…

Je n'ai pas pu m'empêcher de lui demander :

— Sinon quoi ?

Il ne m'a pas répondu. Il s'est contenté d'ajouter :

— Penses-tu que tu seras capable ?

J'ai fait signe que oui.

— Super. Alors, passe une bonne soirée et ferme à clé. Ta mère ne t'a pas prévenu de ne jamais ouvrir aux inconnus ?

Il a éclaté de rire comme si c'était une vraie blague, puis il s'est éloigné d'un pas nonchalant.

J'ai claqué la porte, je l'ai verrouillée et j'ai tiré un gros fauteuil devant. Il fallait que je me souvienne de le déplacer avant le retour de maman, ce qui signifiait que je ne pouvais pas me coucher avant.

Mais ce n'était pas un problème. Il n'était pas question que je ferme l'œil ce soir-là.

22

T₁ R₁ O₁ C₃ I₁ V₄ E₁

trio, noter, veto, votre, civet, croit, vice, vire

V(I)CTOIRE

Comme le temps s'adoucissait et que les journées allongeaient, les Economopoulos cuisinaient de plus en plus souvent sur le barbecue. Dès que je sentais l'odeur de la viande grillée, je me pointais dans la cour et ils m'invitaient toujours à manger avec eux. Je ne refusais jamais.

Un soir, Amanda est venue. Cosmo et elle avançaient doucement dans leur relation, mais elle avait accepté de rencontrer monsieur et madame Eco. Elle portait un chandail vert mousse, tricoté avec la laine la plus douce qui soit. Je le sais parce que j'ai pu y toucher quand elle m'a serré dans ses bras à son arrivée.

Cosmo a rougi lorsqu'il l'a amenée vers ses parents dans le salon :

— M'man, p'pa, je vous présente Amanda Svecova. Elle est...

Il cherchait le mot approprié.

— ... une amie.

Monsieur et madame Economopoulos étaient très polis et parlaient beaucoup à Cosmo. Il a éclaté de rire et a dit :

— Vous avez raison, elle n'est pas grecque !

Madame Eco a donné un coup de coude à son fils, gêné qu'il ait traduit ses paroles, mais Amanda s'est contentée de sourire :

— J'ai du sang tchèque et irlandais, moitié-moitié, mais ça remonte à loin. Je suis surtout canadienne.

La question était réglée, et Amanda a marqué des points lorsqu'elle a affirmé que le bulletin de nouvelles était l'une de ses émissions de télévision préférées, car c'était également l'émission favorite de monsieur Eco. Il a dit :

— Le chef d'antenne devrait se présenter aux élections. Lui ou bien l'animateur de l'émission de documentaires.

Elle a marqué des points supplémentaires auprès de la mère de Cosmo quand elle a demandé une deuxième assiette.

— J'aime ça une fille qui n'a pas peur de manger, m'a chuchoté madame Eco.

J'ai voulu soutenir Cosmo et Amanda par tous les moyens possibles, alors j'ai ajouté :

— Vous avez raison. Elle bouffe comme un cochon.

Après le repas, Amanda a insisté pour aider madame Eco à faire la vaisselle. Cosmo, son père et moi sommes allés nous installer devant la télé pour suivre une partie de soccer. Mais une minute plus tard, Amanda est revenue dans le salon pour annoncer :

— Cosmo ! Ambroise ! Est-ce que j'ai oublié de vous dire que c'est vous qui essuyez ?

Nous avons bougonné, mais nous avons quand même obéi. Cosmo passait son temps à donner des coups de torchon à Amanda et à sa mère. Elles lui criaient d'arrêter, mais elles riaient.

La vaisselle terminée, Amanda est allée à sa voiture. Elle est revenue avec son scrabble qu'elle a installé sur la table de la salle à manger.

— Bon, Ambroise, tu vas jouer contre moi.

Elle interrompait souvent la partie :

— As-tu remarqué que j'ai mis un jeton sur une case « mot compte triple » ? Tu aurais pu m'en empêcher.

Elle m'a donné des trucs, comme tenir le compte des lettres qui restent dans le sac pour deviner ce que l'adversaire a dans son jeu ou trouver un moyen de former plusieurs mots en un seul tour. Cosmo nous observait, même ses parents sont venus nous voir à plusieurs reprises.

Puis, elle m'a enseigné quelques techniques de relaxation :

— Au cas où tu sentirais monter la panique. Ça arrive aux meilleurs.

Elle m'a montré comment inspirer et expirer profondément pour me détendre.

— Il y a aussi la visualisation positive. Si tu vis un moment difficile, imagine quelque chose qui t'apaise. Allez, essaie !

Au début, j'ai eu du mal à trouver une image rassurante, puis j'ai pensé à mon papa. Son visage me rendait calme et confiant, mais en même temps triste et seul. J'allais devoir m'exercer...

J'ai songé à raconter à Cosmo la visite de Silvio, mais je n'en ai pas eu l'occasion et je n'en voyais pas l'intérêt. Je savais qu'il travaillait pour le rembourser et qu'il ne voulait pas emprunter d'argent à ses parents, alors c'était inutile de le stresser davantage. Il ne pouvait pas faire grand-chose de toute façon. Rien de légal, du moins.

Deux semaines ont passé, puis est arrivée la veille du tournoi. Mon esprit était rempli de mots et mon ventre se comportait bizarrement (*raz, mentez, barré, barrez, raie, riez*). Impossible de fermer l'œil. Enfin, après avoir gigoté dans mon lit jusqu'à trois heures du matin, je me suis levé pour me servir un verre d'eau à la cuisine. Ma mère était sur le canapé.

— Maman ?

— Qu'est-ce que tu fabriques ?

— Je n'arrive pas à dormir.

— Moi non plus.

Je me suis assis à côté d'elle. Elle feuilletait son album préféré, celui qui contient les photos de papa. Elle les avait pratiquement toutes prises elle-même.

— Je ne pense pas que je devrais aller au cours de cuisine.

Mon cœur a fait un bond :

— Et pourquoi ?

— Je vais appeler Bob pour annuler.

— Tu ne peux pas faire ça !

J'ai dû y mettre un peu trop d'ardeur, parce qu'elle m'a dévisagé avec un drôle d'air. J'ai compris pourquoi elle n'arrivait pas à fermer l'œil et regardait des photos de mon père.

— Maman, ça ne lui ferait rien à papa.

Elle a tourné la page.

— Il est mort depuis bientôt treize ans et tu m'as toujours dit qu'il était un homme formidable.

— Il l'était réellement, Ambroise.

— Alors, il serait certainement d'accord pour que tu refasses ta vie.

— On ne peut pas parler de « refaire ma vie ». C'est seulement un cours de cuisine.

— En plein ça, c'est seulement un cours de cuisine. En plus, tu ne peux pas annuler maintenant. Monsieur Acheson n'arrivera jamais à trouver quelqu'un d'autre à temps pour te remplacer.

Elle a soupiré :

— Tu as raison. J'irai, à condition que tu me promettes que ça ne te dérange pas du tout.

— Maman, ça ne me dérange pas du tout.

Ce qui était presque vrai.

Ma mère avait prévu de partir à huit heures le matin et moi, je devais rejoindre Cosmo dans l'entrée de garage dès son départ. À 8 h 05, elle est sortie de sa chambre vêtue d'un jean et d'un tee-shirt blanc. J'ai essayé de cacher mon anxiété pendant qu'elle enfilait son blouson de suède brun.

— Comment me trouves-tu ?

Elle avait les sourcils froncés en se contemplant dans le miroir de plain-pied accroché à l'entrée.

— Tu es super belle. Décontractée, mais belle.

— Tu as raison, c'est trop décontracté.

— Ce n'est pas ce que je voulais dire...

Elle était déjà retournée dans sa chambre pour se changer. J'arpentais le salon en fixant l'horloge. Elle est ressortie à 8 h 13, portant cette fois une jupe noire, un chemisier gris et des souliers à talons hauts.

— Alors ?

— Tu es parfaite. Belle. Élégante, ai-je dit dans un souffle. Maintenant, fais vite parce que tu vas être en retard.

— Tu as raison, c'est trop élégant.

Seigneur! Elle a disparu dans sa chambre à nouveau.

Cette fois, j'en ai profité pour filer dehors prévenir Cosmo qui attendait :

— Pourquoi c'est si long ?

— Ma mère. Elle a une crise vestimentaire. Ne pars pas sans moi.

— Dépêche-toi ! a-t-il crié tandis que je me précipitais chez nous, juste à temps pour voir maman émerger de sa chambre, portant cette fois une jupe bleue avec un chemisier blanc.

— Parfait! Comme aurait dit Boucle d'Or: ni trop décontracté ni trop élégant.

C'était la chose à dire, j'imagine, parce qu'elle a esquissé un sourire et m'a demandé :

— Quelle heure est-il, s'il te plaît ?

J'aurais voulu hurler que j'avais les yeux rivés sur l'horloge et que je savais très bien qu'il était 8 h 28. Elle a pris son sac à main.

— Bon, eh bien, amuse-toi bien, maman.

— Tu as le numéro de cellulaire de Bob ?

— Oui.

— Tu peux m'appeler n'importe quand.

— Je sais.

— Si tu sors, reste dans le quartier.

— Oui.

— Et ne traverse pas les rues achalandées.

— Maman ! Je le sais ! Tu m'as déjà dit tout ça.

— Bien. Le cours dure jusqu'à six heures. Je serai de retour vers six heures et demie ou sept heures.

Et à 8 h 33 exactement, elle est sortie.

J'ai attendu qu'elle soit hors de ma vue, puis j'ai couru vers l'entrée de garage. Cosmo et moi avons filé à vive allure au centre communautaire de Kitsilano, où avait lieu le tournoi, parce que le sous-sol de l'église était trop petit pour accueillir tous les concurrents.

— Qu'est-ce que je t'ai dit au sujet de ton pantalon mauve ? a dit Cosmo tandis que nous roulions.

— Il me porte chance.

J'avais mis aussi un chandail à capuchon rouge en molleton sur lequel était écrit « C'EST MON JOUR DE CHANCE », une autre de mes trouvailles de vente de débarras. Je portais mes Reebœrk. Je me trouvais plutôt beau.

— En tout cas, a dit Cosmo, tu es coloré, ça, je l'admets.

— On voit ton tatouage, ai-je dit en regardant son tee-shirt à manches courtes.

— J'espère que ça intimidera certains de mes adversaires. J'ai besoin de toute l'aide possible.

Nous avons garé la voiture dans une rue bordée d'arbres près du centre et Cosmo a sorti un immense panier du coffre.

— Qu'est-ce que c'est?

— Un pique-nique que j'ai préparé, a-t-il précisé fièrement. J'espère qu'Amanda acceptera de manger avec nous.

Nous nous sommes dirigés vers le centre communautaire qui occupe, avec les édifices et le terrain, deux pâtés de maisons entiers. C'était un jour de mai magnifique, chaud et ensoleillé, et les terrains de sport grouillaient de joueurs de soccer et de baseball.

L'intérieur était tout aussi animé et je me suis rendu compte que la plupart des gens entraient au gymnase qu'Amanda avait loué pour le tournoi. En la voyant à la porte, je lui ai demandé :

— Combien sommes-nous?

— Aux dernières nouvelles, presque cent personnes. Mais assez discuté, vous devez vous hâter. Votre première partie débute dans cinq minutes.

Je me suis précipité aux toilettes, où j'ai eu la diarrhée.

Je suis entré dans le gymnase au pas de course, cinq minutes plus tard. Il y avait des rangées et des rangées de tables et de chaises. Près d'une centaine de maniaques du scrabble venus de partout en Amérique du Nord s'asseyaient et beaucoup installaient leur propre plateau de jeu. Certains avaient été fabriqués sur mesure et parfois même, m'a dit plus tard Amanda, faits maison. J'ai remarqué que quelques joueurs portaient des bouchons d'oreilles. Un type avait posé à côté de lui, sur la table, un singe confectionné avec une chaussette. J'imagine que c'était son porte-bonheur, l'équivalent de mon pantalon mauve.

J'ai vérifié la liste des participants et j'ai trouvé ma place devant Betsy, une petite vieille aux cheveux d'un blanc bleuté. Avec sa robe couverte de papillons, elle me faisait un peu penser à Nana Ruth. Amanda m'avait expliqué que, puisque je n'étais pas encore classé, je devais jouer mes deux premières parties contre d'autres joueurs non classés. Par la suite, l'ordinateur déterminerait qui j'allais affronter dans ma division, en me jumelant à un concurrent aux scores similaires.

J'ai demandé à Betsy d'où elle venait. Elle a répondu «Comox» puis nous avons pigé nos jetons.

Comme elle a eu un «A», elle a commencé. Elle avait l'air d'une joueuse du dimanche, alors je me suis un peu détendu, croyant remporter une victoire facile dès ma première partie de la journée.

Son premier mot a été «ANTHÈRE» sur les cases «mot compte double» et «lettre compte double», et en plus, elle a obtenu une bonification de cinquante points pour avoir utilisé tous ses jetons. J'ai compris que mes problèmes commençaient.

— 72 points, a annoncé mon adversaire en arrêtant la minuterie.

Puis, elle a gloussé d'une voix forte en disant:

— Essaie de faire mieux que ça, Ti-cul!

Je m'étais trompé : elle ne ressemblait en rien à Nana Ruth.

Je me suis mis à paniquer en découvrant les caramels que j'avais pigés : «C, M, T, X, V, I, S». Je ne trouvais que des mots insignifiants comme «MÂT» accroché à son «A» ou «VIE» en utilisant un de ses « E ». Le temps passait. Je savais que je pouvais former d'autres mots, mais je ne les voyais pas. Face à moi, Betsy faisait toutes sortes de bruits avec son dentier et sa gorge, et j'étais sûr que c'était une stratégie pour me déconcentrer. J'avais des crampes, je voulais retourner aux toilettes, et je n'en étais qu'à la première minute de ma première partie.

Puis, je me suis souvenu des trucs de respiration et de visualisation positive qu'Amanda m'avait enseignés. Je me suis dit que je ne perdrais rien à essayer. J'ai commencé à inspirer et à expirer lentement. J'ai pensé au doux ruissellement d'un cours d'eau, mais c'était trop cucul, alors j'ai plutôt imaginé Amanda sans son chandail, ce qui était comme un péché (surtout que Cosmo la trouvait à son goût). Pourtant, je me sentais beaucoup mieux et rempli d'une chaleur agréable, et je n'entendais même plus les dents de Betsy. Après trente secondes qui m'ont semblé trois minutes, j'ai ouvert les paupières et j'ai regardé mes lettres à nouveau. La réponse m'a sauté aux yeux. Calmement, j'ai déposé mon « C » avant « ANTHÈRE » et mon « S » au bout, sur une case « mot compte triple ».

J'ai lancé « 36 points » en appuyant sur le bouton de la minuterie.

— Je conteste, a-t-elle reniflé.

Nous nous sommes dirigés vers l'ordinateur le plus proche et elle a tapé mon mot. J'étais plutôt fier parce que je savais qu'il était valable. « CANTHÈRE » est une sorte de poisson.

Betsy a donc perdu son tour et elle était vraiment frustrée. Elle s'est encore fâchée lorsque plus tard, j'ai déposé le « K » sur une case « lettre compte double » pour faire « KIT » et « KA » en une seule fois. Elle était furieuse quand elle a perdu un deuxième tour après avoir contesté mon « COMPLANT ». Elle a quand même trouvé de bons mots : « OPOSSUM », « URÉTHANE » et « POTACHE ».

J'ai gagné 348 contre 322.

Betsy n'était pas contente du tout. Je lui ai tendu la main, mais elle l'a ignorée et a dit :

— Depuis quand ils laissent des petits fins finauds participer à ces tournois ?

Puis elle est sortie en trombe, enfin, aussi vite que le lui permettait sa marchette.

À l'autre bout de la salle, Cosmo m'a lancé un regard interrogateur après sa première partie. J'ai levé les pouces. Lui, par contre, m'a fait savoir qu'il avait perdu, mais comme d'habitude, il ne s'en formalisait pas. J'ai remarqué que beaucoup de joueurs analysaient leur partie, discutaient de leurs choix de mots, et pensaient à ceux qu'ils auraient pu former. À l'exception de quelques personnages étranges comme Betsy, l'atmosphère était amicale.

J'ai joué ma deuxième partie contre un grand type maigre à la peau abîmée appelé Kamal. Il portait un chapeau mou sur le sommet du crâne. Il était vraiment fort, mais il prenait beaucoup de temps, alors même si son score était supérieur au mien, il a perdu quarante points pour avoir dépassé la période allouée de quatre minutes. J'ai finalement gagné par six points. J'ai disputé la troisième partie contre une femme sympathique et bavarde de l'âge de ma mère, qui avait une belle peau foncée et une épaisse chevelure noire. Elle riait beaucoup et se frappait le front avec la paume de la main chaque fois qu'elle jouait mal, ce qui arrivait souvent. Je l'ai facilement battue 318 à 251. Lors de ma quatrième partie, j'ai affronté un homme timide vêtu d'un complet gris froissé et élimé. Il ne parvenait même pas à me regarder dans les yeux et, pour être honnête, il avait vraiment mauvaise haleine. Il venait de Seattle, dans l'État de Washington. Il m'a écrasé : 357 à 275.

J'ai tout de même passé une formidable matinée avec trois victoires sur quatre parties. Lorsque Cosmo a appris la nouvelle, il m'a tapé si fort dans le dos que j'ai failli tomber. Il n'avait gagné qu'une seule fois, mais il s'en fichait. En fait, il était d'excellente humeur parce qu'Amanda avait accepté de manger avec nous.

Il faisait un temps magnifique. Cosmo nous avait préparé un copieux pique-nique : du poulet froid, des feuilles de vigne farcies (faites par sa maman, nous a-t-il confessé), une baguette de pain, du fromage et d'énormes biscuits maison (également cuisinés par madame Eco). Beaucoup de participants voulaient poser des questions à Amanda, alors j'ai pris le panier des mains de Cosmo qui attendait patiemment :

— Je vais nous trouver une place à l'ombre.

Comme j'ai tendance à attraper des coups de soleil, j'ai remonté le capuchon de mon kangourou rouge et je suis sorti. Sur les terrains, les parties se terminaient et d'autres équipes se pointaient.

J'ai déniché l'emplacement idéal sous un gros érable. Au moment où j'allais déposer le panier, j'ai entendu :

— Regardez, c'est le Petit Chaperon rouge qui s'en va chez sa grand-maman !

Je reconnaissais cette voix, et elle m'a paralysé.

Après avoir pris mon courage à deux mains pour me déparalyser et me retourner, j'ai vu Troy courir vers moi, suivi de près par Mike et Josh. Ils portaient leur uniforme de soccer et, à en juger par les énormes taches de sueur sur leurs maillots, ils venaient de terminer un match.

— Salut. Ça fait longtemps...

Troy s'est mis à parler de moi à la troisième personne :

— Regardez-le. Il est toujours aussi tapette avec son panier à pique-nique.

— C'est presque aussi laid que son sac banane rose fluo, a ajouté Mike.

— Il n'est pas à moi. C'est celui d'un ami.

— *Ooh*, un ami. Est-ce qu'il est homo comme toi ? a demandé Josh, ce qui a fait rire ses deux comparses.

— Je ne suis pas gai et je n'ai rien contre ceux qui le sont.

Cette fois, c'est Josh qui m'a poussé le premier. J'ai tenté de les raisonner :

— Bon écoutez, je n'aurais jamais dû prétendre que vous étiez mes amis. C'était stupide. Mais vous avez quand même essayé de me tuer, alors on pourrait dire qu'on est quittes et ne plus en parler...

Mike m'a poussé à son tour et je suis presque tombé sur le panier à pique-nique.

— Ne faites pas ça, ai-je plaidé.

— Hé, Josh, ouvre le panier, a crié Troy. Voyons ce que Jambroise et ses amis tapettes mangent ce midi.

— Ouais, je meurs de faim, a révélé Mike.

Josh a empoigné le panier et soudain, un des mouvements que Cosmo m'avait enseignés m'est venu à l'esprit. J'ai bloqué le geste de Josh avec mon bras.

— Laisse le panier, ai-je demandé. Mon copain a beaucoup travaillé pour ça.

— Va te faire f..., a lancé Josh pendant qu'il tentait d'attraper le panier de l'autre main. J'ai réussi à arrêter ce mouvement-là aussi.

Ensuite, Mike et Troy se sont jetés sur le panier. J'ai fait front de tout mon corps en mimant quelque chose qui, je l'espérais, ressemblerait à un mouvement de karaté. J'ai essayé de lancer des cris intimidants comme « Iiiiiiiiiiiii-ya ! » Puis, j'ai saisi l'arme la plus proche que je pouvais trouver : la baguette.

Troy a tenté d'attraper le pain, mais je me suis mis à l'agiter dans tous les sens comme si j'étais un guerrier ninja, avec effets sonores à l'appui comme « Waaaaaaaaaa » et « Hiiiiiiiiiiiii ». Ils se protégeaient la tête pendant que je les frappais sans relâche avec le pain. La chose la plus extraordinaire, c'est que je ne ressentais aucune peur. Les cours d'autodéfense de Cosmo m'avaient vraiment aidé. Il suffisait que je croie en moi.

Puis Troy a crié :

— Mais tu es fou !

Il m'a arraché la baguette des mains et l'a cassée net. Il a jeté les deux moitiés au sol et s'est mis à me frapper fort dans le ventre.

J'ai compris, il ne suffit pas d'avoir confiance en soi, me suis-je dit en le voyant se précipiter sur moi à nouveau. Mais cette fois encore, un autre mouvement de Cosmo m'est venu en tête. Avant que Troy ne puisse m'atteindre, j'ai reculé mon bras et avec toute la force et l'énergie que j'ai pu réunir, j'ai lancé mon poing droit devant.

Et mon poing a frappé.

Le nez de Troy.

En produisant un son très satisfaisant.

— Merde ! a crié Troy en se tenant le nez. J'ai vu qu'il saignait.

Je ne mentirai pas : je me sentais bien — non, extraordinairement bien — à le voir debout, le nez en sang, après tout le mal qu'il m'avait fait. Mais je n'ai eu cette impression qu'un court instant parce que le combat continuait à trois contre un. J'en ai conclu que j'étais officiellement un homme mort.

J'ai dû faire vraiment mal à Troy parce qu'il a commencé à reculer, suivi de Mike et Josh. Je n'en croyais pas mes yeux. J'avais réussi, moi seul, à effrayer les Trois Gros Cochons. Je n'ai pas pu m'empêcher de leur crier :

— Et à partir d'aujourd'hui, ne m'embêtez plus !

J'ai ramassé les deux moitiés de pain et je les ai agitées devant eux, puis j'ai éclaté de rire.

— Qu'y a-t-il de si drôle ? a demandé Cosmo qui s'avançait vers moi.

— Tu ne devineras jamais ce qui est arrivé. J'ai fait peur aux Trois Gros Cochons avec une baguette et un coup de poing sur le nez.

Cosmo a souri :

— Je te félicite, mon gars. Trois contre un, en plus.

— Tes cours d'autodéfense ont vraiment fonctionné, Cosmo. J'ai réussi à bloquer certains mouvements. Ma puissance, quand je l'ai frappé, j'aurais aimé que tu la voies.

Amanda est arrivée et je voyais qu'elle flottait sur un nuage, parce qu'elle nous a demandé :

— Pourquoi toute cette agitation ?

— Notre pique-nique était en péril et je l'ai sauvé !

Ensuite, j'ai recréé la scène pour eux. Amanda n'était pas contente que j'aie frappé quelqu'un sur le nez, mais ça allait. Je ne m'attendais pas vraiment à ce qu'une femme approuve cela, surtout si elle ne connaissait pas les Trois Gros Cochons.

Mais Cosmo, lui, avait compris. Je le devinais. Il n'a pas cessé de me demander de lui montrer mon coup pendant le repas, qui était délicieux. L'épuisement mental du tournoi, jumelé à l'épuisement physique du combat, m'avait creusé l'appétit. Après quatre morceaux de poulet, deux berlingots de lait, cinq tranches de pain surmontées de fromage et trois biscuits, je me suis allongé sur la pelouse et j'ai roté.

Ce n'est qu'en retournant au centre communautaire que j'ai compris pourquoi Troy et ses amis s'étaient enfuis.

Ils avaient vu arriver Cosmo. C'était lui qu'ils craignaient, pas moi ni ma baguette ni mon crochet droit. Je me suis demandé tout à coup si Cosmo n'avait pas observé la scène tout ce temps, en attendant de voir s'il devait s'en mêler pour me secourir.

Mais, même si ça avait été le cas, je restais très fier de moi, parce que j'avais tenu bon devant les trois brutes. Je n'avais pas eu peur.

Et mieux encore, j'avais donné un bon coup de poing.

L'après-midi s'est très bien passé. J'ai gagné les deux premières parties, perdu la suivante et remporté la dernière (contre Joan, mais comme nous partageons le fait d'avoir des problèmes alimentaires, cela ne l'a pas dérangée).

J'ai gagné six parties sur huit, tandis que Cosmo n'en a remporté que deux. Mais il souriait, riait et s'amusait ferme. J'étais vidé, à tel point que je pensais m'évanouir sur le plancher du gymnase, mais nous ne pouvions pas partir tout de suite: Amanda devait remettre les prix.

Il y avait quatre divisions. Les trois meilleurs joueurs de chacune remportaient des prix en argent. Le premier prix, cinq cents dollars, a été décerné à Freddy Wong, une légende du scrabble de San Francisco. Larry Schell, membre de notre club, est venu recevoir le deuxième prix, trois cents dollars, dans son pantalon molletonné taché, et nu-pieds dans ses sandales.

Amanda a également remis des prix rigolos comme « Le jour le plus long » au joueur qui avait perdu le plus grand nombre de parties ou « Le mot le plus payant sans scrabble ».

Croyant que la distribution était terminée, je me suis levé pour me dégourdir les jambes. Mais ce n'était pas le cas.

— Je vais aussi remettre quelques prix spéciaux, a repris Amanda. Le premier est décerné à la recrue de l'année. Je pense que tous mes collègues du Club de Scrabble de l'Ouest seront d'accord avec moi que le plus méritant est Ambroise Bukowski, âgé de douze ans et trois quarts.

Tous les membres du club se sont mis à applaudir énergiquement, mais moi, je n'ai pas bougé d'un poil : j'étais paralysé. Joan, assise à côté de moi, m'a gentiment donné un coup de coude et Cosmo, à l'autre extrémité du gymnase, a sifflé avec ses doigts.

Je me souviens à peine d'avoir traversé la vaste salle pour rejoindre Amanda. J'avais l'impression d'avancer dans de la mélasse ou de la boue. J'avais les jambes lourdes et j'entendais un bourdonnement dans mes oreilles. Amanda m'a remis le trophée : une mignonne coupe argentée sur un socle en bois. Sur une plaque en bronze était gravé, en petits caractères pour que tout puisse entrer : « Recrue de l'année, Tournoi de scrabble de Vancouver, Ambroise Bukowski ».

Je n'avais jamais rien gagné de toute ma vie. Je sentais une énorme boule d'émotion monter en moi.

— Merci, ai-je murmuré.

Puis je suis sorti en courant du gymnase, complètement déparalysé. Je me suis précipité aux toilettes, je me suis enfermé dans un cabinet et j'ai éclaté en sanglots.

23

C₃ O₁ N₁ I₁ C₃ E₁ S₁

soins, con, sien, coins, cônes, noces, sein, scone

COINCÉS

— C'était le plus beau jour de ma vie, ai-je marmonné en sortant du centre communautaire avec Amanda et Cosmo, peu avant six heures.

— En tout cas, tu as une drôle de façon de manifester ta joie! a ri Cosmo.

Il a mis son bras autour de moi et m'a tapoté l'épaule. En arrivant à sa voiture, il a demandé à Amanda:

— Je te dépose quelque part?

— En fait, je vais manger chez Milestone's avec un groupe.

Je voyais que Cosmo tentait de cacher sa déception:

— Oh, ah bon.

— Mais, vous pourriez vous joindre à nous.

Cosmo a rapidement changé d'expression:

— J'aimerais bien.

J'ai regardé ma montre. Le cours de cuisine de ma mère terminait à six heures et il était déjà moins cinq. J'ai refusé:

— Je vais passer mon tour. Je suis pas mal fatigué.

Ils m'ont raccompagné à la maison.

— Veux-tu qu'on entre? a demandé Amanda. J'aimerais bien rencontrer ta maman. C'est dommage qu'elle n'ait pas pu assister au tournoi.

— C'est impossible, elle n'est pas encore rentrée, ai-je dit.

Ce qui n'était pas un mensonge.

Au moment où je descendais de la voiture, Cosmo m'a félicité :

— Tu as été formidable aujourd'hui, mon gars. Tu as de quoi être fier.

— Tu vas obtenir presque 400 points au classement. Ça ne semble pas beaucoup si tu te compares aux experts, mais c'est vraiment bien pour un premier tournoi.

J'ai bondi de l'auto en tenant mon trophée et je leur ai fait signe de la main, avec un pincement au cœur de ne pouvoir souper avec eux pour célébrer ma victoire.

C'est alors qu'il s'est produit un autre miracle, le deuxième en moins de deux semaines : mon cellulaire a sonné.

— Allô ?

— Ambroise ? a dit ma mère. J'ai appelé à la maison, mais tu n'as pas répondu.

— Non, je suis juste devant. Je reviens d'une petite promenade.

— Tu n'as pas parlé à des étrangers, j'espère.

— Non, maman.

— Écoute, on vient de finir le cours, mais Bob m'a invitée à prendre une bouchée. Italien, bien entendu, ha ! ha ! ha ! Mais je lui ai dit que je devais d'abord te demander ton avis. Si tu préfères que je rentre tout de suite, je…

— Vas-y. Bien sûr que tu devrais y aller. Vers quelle heure comptes-tu rentrer ?

J'étais vraiment sincère, non seulement parce que ça m'arrangeait, mais pour elle aussi.

— Dix heures au plus tard. Promis.

— OK, ai-je dit en m'élançant sur le trottoir.

— Tu es sûr que ça ne te dérange pas?

— Sûr, sûr.

— Pourquoi es-tu si essoufflé tout d'un coup?

J'ai répondu la première chose qui m'est venue en tête:

— Je fais des sauts pour m'entraîner.

Je l'ai entendue rire:

— Très bien, mon chéri. Je t'aime.

— Je t'aime aussi.

J'ai raccroché et j'ai filé à la vitesse du vent grâce à mes Reebœrk jusqu'au Milestone's à l'angle de Bayswater et de la 4e Avenue, en pensant que c'était la deuxième fois en quinze jours qu'une Puissance Suprême veillait sur moi.

J'ai couru si vite que Cosmo et Amanda venaient tout juste de franchir la porte du restaurant lorsque je suis arrivé.

La plus belle journée de ma vie s'est transformée en plus belle soirée de ma vie. Nous étions une douzaine: Mohammed, Joan et Larry de notre club; Freddy Wong le champion, ainsi que certains participants de l'extérieur de la ville. Les serveurs ont rapproché des tables et je me suis assis entre Cosmo et Mohammed, face à Freddy, ce que je considérais comme un grand honneur. Freddy nous a raconté un tas d'histoires sur le championnat mondial de scrabble où, deux ans auparavant, il s'était classé quinzième sur une centaine de joueurs de calibre supérieur. Il m'a aussi donné des trucs pour étudier des listes de mots, ce que j'ai trouvé très généreux de sa part. Il m'a semblé très accessible et a même accepté de signer un autographe sur ma serviette de table.

Lorsque notre serveuse est arrivée, je n'ai pas pu m'empêcher de remarquer sa poitrine qui était encore plus spectaculaire que celle d'Amanda. Quand mon tour est arrivé, elle m'a demandé :

— Et pour vous, jeune homme ?

— Un verre d'eau seulement.

— Tu n'as pas faim ? a dit Cosmo.

Je lui ai chuchoté à l'oreille :

— Je n'ai pas d'argent.

— Ne t'inquiète pas. Prends ce qui te tente. Je t'invite.

— Mais tu...

— J'ai oublié de te l'annoncer : le contremaître m'a fait venir à son bureau hier. À partir de lundi, je travaillerai tous les jours.

— C'est formidable ! ai-je dit avant de consulter le menu. Après avoir informé la serveuse de mon allergie, j'ai commandé un énorme plat de fettuccinis Alfredo avec un Shirley Temple, un genre de cocktail chic sans alcool, mais avec une cerise.

Tous les convives autour de moi riaient, parlaient et analysaient leurs performances de la journée, et pas seulement entre eux, avec moi aussi. C'était la chose la plus étrange, mais également la plus agréable du monde, de sentir que je faisais partie de tout ça. Et pendant que je sirotais mon deuxième verre, je me suis rendu compte que c'était ça, des amis : des gens qui nous aiment pour ce que l'on est. Des gens que nous n'avons pas à impressionner. Et même s'ils étaient tous plus âgés que moi, et certains pas mal plus, cela n'avait aucune importance. J'ai senti l'émotion monter tout à coup. Je crois que Cosmo a compris parce qu'il s'est penché pour me demander comment j'allais, et je lui ai répondu, en toute honnêteté :

— Merveilleusement bien.

J'ai eu une grosse envie après deux Shirley Temple. À mon retour des toilettes, une concurrente que je ne connaissais pas s'était assise à ma place, alors j'ai pris la sienne à côté de Larry Larue, un expert de notre club. Comme je n'avais jamais joué contre lui, je n'avais encore jamais remarqué qu'il dégageait une odeur de vieilles chaussettes, mêlée à celle du beurre rance. Je pense qu'il aimait vraiment son repas parce qu'il mastiquait en faisant des « mmmmmmmmm ».

J'ai décidé de lui faire la conversation :

— Depuis quand jouez-vous au scrabble, Larry ?

— Je jouais avec Mère quand j'étais jeune.

Je comprenais difficilement ses paroles parce qu'il marmonnait, mais par chance, j'avais une ouïe parfaite.

— Moi aussi ! Je veux dire, je suis encore jeune, mais je joue avec ma maman.

Il a hoché la tête :

— Ma sœur sortait et moi, je restais pour jouer avec Mère. On ne m'invitait jamais aux fêtes, mais ça ne me dérangeait pas.

Tout à coup, j'ai eu une image très claire de Larry enfant. Je l'imaginais se faire ridiculiser et traiter de toutes sortes de noms, comme Larry Lapue. Je lui ai demandé poliment :

— Et maintenant, avec qui jouez-vous ?

— Avec Mère et au Club de Scrabble de l'Ouest une fois par semaine. Mais surtout avec Mère. Je ne peux pas travailler parce que j'ai beaucoup de, heu, de problèmes de santé, alors j'habite encore avec elle.

— Oh, ai-je dit en remarquant que Larry devait avoir au moins quarante ans.

— Le scrabble, c'est toute ma vie. Je joue et entre mes parties, j'étudie des mots ou je regarde la télé. J'adore la télé. Surtout la série policière *CSI*.

C'est un peu méchant, mais tout à coup, je n'ai plus voulu discuter avec Larry. J'ai réfléchi à ce que Cosmo m'avait expliqué au sujet des routes qu'on suit dans la vie et comme il est facile de prendre la mauvaise direction. En observant Larry Larue, j'ai eu le pressentiment désagréable que si je m'engageais dans le mauvais chemin, je pourrais lui ressembler plus tard.

Je ruminais des pensées plutôt profondes, mais je ne voulais pas rester dans cet état d'esprit, alors quand la dame qui avait pris ma place s'est levée pour aller aux toilettes, j'en ai profité pour me glisser à côté de Cosmo. Amanda se trouvait à sa gauche. Lorsque je me suis penché pour prendre ma serviette, j'ai vu qu'ils se tenaient la main sous la table.

Au dessert, j'ai pris un énorme morceau de tarte aux pommes avec de la crème glacée. Notre serveuse m'a garanti qu'elle avait été préparée dans une pâtisserie sans arachides. Quand elle a aperçu mon trophée, elle a dit avec le plus éclatant des sourires :

— « Recrue de l'année », hein ? Je parie que beaucoup de filles de ton école disent la même chose.

— Oui, mais je leur réponds que je n'ai d'yeux que pour vous, Sandy, ai-je répliqué en jetant un coup d'œil à l'insigne épinglé sur son buste généreux.

Quand elle nous a quittés, Cosmo et Mohammed ont éclaté de rire :

— Ambroise, tu seras un vrai tombeur.

Mohammed a ajouté :

— Si j'avais des filles, je les enfermerais à clé.

À notre départ, Sandy m'a serré dans ses bras et mon visage est devenu très intime avec ses seins. Cela m'a semblé la conclusion idéale d'une journée idéale, même si elle s'est contentée de rigoler quand je lui ai demandé son numéro de téléphone. Cosmo était aussi d'excellente humeur, parce qu'Amanda avait accepté qu'il la raccompagne chez elle.

Je suis monté dans la voiture, euphorique.

J'ignorais complètement qu'à peine cinq minutes plus tard, tout s'effondrerait autour de moi et que cette fois, la Puissance Suprême aiderait quelqu'un d'autre ou s'était couchée plus tôt.

Parce que cette fois, il n'y aurait pas de miracle.

Cette fois, j'étais piégé.

24

R₁ A₁ R₁ E₁ G₂ A₁ B₃

gare, gré, rage, rare, ra, bar, barre, barge

BAGARRE

Cosmo s'est garé à la maison quelques minutes plus tard. Amanda est descendue de la voiture et a baissé le siège pour que je puisse sortir. Elle m'a dit :

— Félicitations encore, mon grand ! Ta mère sera super fière de toi !

Cosmo est descendu et m'a serré très fort :

— Tu es fantastique, mon Dictionnaire !

Amanda a repris sa place dans la voiture et Cosmo allait faire de même, lorsque nous avons entendu une voix émerger de l'obscurité :

— Cosmo.

Il s'est retourné et a aperçu, tel un fantôme morbide, Silvio qui se matérialisait près d'un arbre. Et il n'était pas seul : deux autres types à l'air patibulaire le flanquaient de part et d'autre. Ils ressemblaient aux Trois Gros Cochons, en plus vieux, en plus gros, en plus laids et en plus effrayants (beaucoup, beaucoup plus effrayants).

— Silvio, a dit calmement Cosmo, ce n'est pas le bon moment.

— C'est ça le problème, mon ami, on dirait que ce n'est jamais le bon moment.

— J'étais occupé.

— Je veux mon argent.

— Tu vas l'avoir. Je t'ai déjà remboursé trois cents dollars.

— Ça ne couvre même pas les intérêts.

— Voyons, Sil, je viens juste de trouver un emploi à temps plein.

— Qu'est-ce qui se passe ? a dit Amanda qui était sortie de l'auto et se dirigeait vers nous.

— Amanda, attends-nous dans la voiture, lui a demandé Cosmo.

— Qui sont ces gens ?

— C'est un malentendu.

— C'est ta petite amie ? a ricané Silvio.

Il s'est adressé à Amanda :

— Qu'est-ce qu'une belle créature comme toi peut bien trouver à un moins que rien comme lui ?

Il s'est avancé pour lui toucher le bras, mais Cosmo a violemment repoussé sa main :

— Ne la touche pas.

Les yeux de Silvio brillaient de colère.

— Elle connaît tes anciennes occupations ?

— Oui, a répondu Amanda en tentant d'avoir l'air calme, même si je percevais un tremblement dans sa voix.

— Et elle reste quand même avec toi. Contrairement à ce que tes ex-petites amies m'ont raconté, tu dois être bon au lit.

Les amis de Silvio ont éclaté de rire.

— Fermez-la ! ai-je crié.

En fait, je voulais simplement le penser, mais les mots sont sortis tout seuls de ma bouche.

Silvio et ses brutes se sont retournés pour me regarder :

— Qu'est-ce qu'il a Cosmo, ton petit ami ? Tu as développé un goût pour les jeunes garçons pendant que tu étais en prison ?

Cosmo s'est approché de Silvio, les poings levés, mais Brute Numéro Un l'a rapidement retenu.

— Tu es gelé, a remarqué Cosmo en regardant Silvio dans les yeux.

— Va chier, a répliqué Silvio.

— Je vais appeler la police, ai-je dit, ce qui, à bien y penser, n'était pas la meilleure chose à faire, parce que Brute Numéro Deux m'a saisi les bras pour les immobiliser derrière mon dos. Je ne pouvais pas bouger et c'était très douloureux.

— Laissez-le partir, a dit Cosmo. Laissez-le partir avec Amanda. Ils ne préviendront personne.

Silvio a éclaté de rire :

— J'ai essayé d'être généreux avec toi. Je t'ai proposé d'autres options.

— Et je te l'ai dit : j'ai changé de vie.

— Alors, je n'ai pas d'autre choix que de te montrer à quel point je tiens à récupérer mon argent, a lancé Silvio en s'avançant vers Cosmo.

Tout à coup, Amanda s'est interposée entre les deux, ce que j'ai trouvé particulièrement courageux :

— Combien te doit-il ?

— Deux mille dollars. Avec les intérêts, ça représente plutôt deux mille cinq cents dollars.

— Je peux t'apporter la somme à la première heure lundi matin, a dit Amanda. Dès que la banque ouvre.

— Laisse tomber, Amanda. Je n'accepterai jamais ton argent, a répliqué Cosmo.

J'ai ajouté mon grain de sel :

— J'ai environ cent cinquante dollars en 25 cents d'écono-
mies. C'était censé servir à mes études, mais vous pouvez l'avoir
aussi.

— Non, personne ne m'aidera.

Tout à coup, sans crier gare, Silvio a violemment frappé Cosmo
dans le ventre. Cosmo s'est plié de douleur et dès qu'il s'est redressé,
Brute Numéro Un lui a asséné un coup de poing au visage. Cosmo a
tenté de se défendre, mais il était seul contre deux. Lorsque Silvio
l'a brutalisé à nouveau, Cosmo est tombé sur l'asphalte.

Amanda a hurlé. J'ai hurlé. Brute Numéro Deux, le type
qui me tenait prisonnier, a posé sa grosse main poilue sur ma
bouche. Je l'ai mordue de toutes mes forces, il l'a enlevée et j'ai
réussi à me dégager. Puis, j'ai sauté sur le dos de Silvio parce
qu'il rouait de coups Cosmo qui gisait encore à terre. Je criais :

— Arrêtez, arrêtez !

Je le frappais à répétition avec mon trophée de la Recrue
de l'année. Il a fini par se redresser et remuait son dos d'avant
en arrière pour tenter de me faire lâcher prise. Pendant que je
m'agrippais du mieux que je pouvais, je voyais Brute Numéro Un
donner des coups de pied à Cosmo qui était toujours au sol,
et Amanda qui le frappait avec son sac à main. Ensuite, Brute
Numéro Deux m'a empoigné par l'arrière et m'a arraché du dos
de Silvio. Je suis tombé lourdement en échappant mon trophée,
qui s'est écrasé sur l'asphalte.

En levant les yeux, j'ai aperçu le boyau d'arrosage enroulé
sur le support et une idée m'est venue. J'ai rampé jusqu'au
côté de la maison, j'ai saisi le pistolet et j'ai ouvert le robinet à
fond. Je leur ai envoyé un puissant jet d'eau en essayant d'éviter Amanda et Cosmo, ce qui était plus facile à dire qu'à faire. Et

pour être honnête, même si j'étais terrifié, je ne m'étais jamais senti aussi vivant de toute mon existence.

Tout à coup, le bruit des sirènes a empli l'air, puis deux voitures de police se sont garées devant la maison. Silvio et ses Brutes ont tenté de s'enfuir, mais c'était peine perdue. Les agents nous ont ordonné de nous agenouiller et de mettre nos mains derrière la nuque, comme dans les films. Excepté les policiers et moi, tout le monde était trempé. Cosmo était vraiment amoché. Des voisins s'étaient attroupés sur le trottoir pour observer la scène.

C'était à peu près l'état de la situation lorsque ma mère est arrivée quelques secondes plus tard.

25

S₁ I₁ M₂ O₁ N₁ E₁ T₁

moi, mois, moins, moite, monte, sien, site, tiens, minot

TÉMOINS

— Ambroise! Oh, mon Dieu! Qu'est-ce qui se passe?

Ma mère hurlait presque lorsqu'elle est sortie en trombe de l'auto. Elle m'a serré très fort.

— Pouvez-vous bien me dire ce qui est arrivé? a-t-elle crié à l'un des agents. Qui sont ces hommes?

Je pense qu'elle n'a pas reconnu Cosmo avec son visage tuméfié et ensanglanté. Le policier lui a demandé:

— Madame, calmez-vous, s'il vous plaît.

— Me calmer? *Me calmer, moi?*

Pendant que maman continuait de crier, les autres agents ont menotté Cosmo, Silvio et les deux Brutes puis les ont assis sur la banquette arrière des deux voitures de police. Je suppose qu'Amanda et moi ne présentions aucun risque de fuite, ou ne ressemblions pas à des criminels endurcis, parce qu'une fois ma mère tranquillisée, ils lui ont dit (ainsi qu'à monsieur Acheson qui l'avait ramenée et qui se tenait maintenant sur le trottoir, très mal à l'aise) que nous pouvions nous rendre au poste par nos propres moyens, pour faire notre déposition.

Amanda ne pouvait pas utiliser la voiture de Cosmo, car elle ne sait pas conduire avec une transmission manuelle. C'est donc monsieur Acheson qui nous y a menés, Amanda et moi, sur la banquette arrière de sa Prius flambant neuve, une hybride qui fonctionne à l'essence et à l'électricité. J'aurais voulu lui poser des questions, mais dans les circonstances, j'ai jugé bon de me taire.

Pendant que nous suivions les voitures de police à distance respectable, Amanda, toujours ébranlée, s'est mise à discuter avec ma mère :

— Madame Bukowski, je ne sais pas par où commencer.

— Et vous êtes ? a demandé maman d'une voix glaciale.

— Amanda, Amanda Svecova, la directrice du Club de Scrabble de l'Ouest.

Ma mère a hoché la tête :

— Hum, intéressant. Le club que j'ai interdit à mon fils de fréquenter.

— Mais vous avez signé le formulaire de consentement ! s'est offusquée Amanda avant de me jeter un regard sévère.

J'ai détourné les yeux.

— Je n'ai jamais rien signé ! Quel genre d'organisation dirigez-vous ? Mon fils est mineur. Vous n'avez jamais cru bon de vérifier auprès de moi ?

— Non, a répondu Amanda avec fermeté. J'ai tenu pour acquis qu'Ambroise me disait la vérité. Je pensais que je pouvais avoir confiance en lui. De toute évidence, je me suis trompée.

Je sentais encore son regard me transpercer. Ma mère a repris :

— Je n'arrive pas à croire que le scrabble ait un lien quelconque avec ce que j'ai vu ce soir. Je n'ai aucune idée de ce que tu faisais près de notre bandit de voisin.

— Vous ne parlez certainement pas de Cosmo...

Ma mère a coupé la parole à Amanda :

— Je ne vous parle pas, je parle à mon fils.

— Maman, Cosmo n'a rien fait de mal...

Elle a ri, mais il n'y avait rien de drôle.

— Votre fils dit la vérité, a insisté Amanda, impassible. Cosmo a été un véritable ami pour Ambroise, une figure paternelle...

Oh merde.

— Ne dites plus jamais que... ce sale type est une figure paternelle.

Il y a eu un silence glacial.

Amanda a fini par dire, la voix pleine de rage :

— Très bien, je vais faire un marché avec vous : je ne dirai pas que Cosmo est une figure paternelle si vous ne le traitez pas de sale type. Il travaille très fort pour se remettre dans le droit chemin.

— Est-il votre petit ami ? Si oui, je déplore votre choix d'hommes.

J'ai risqué un coup d'œil vers Amanda. On aurait dit qu'elle se retenait pour ne pas arracher les cheveux de ma mère.

— Comment osez-vous dire une telle chose ?

— Je dis ce que je pense.

Bob a ouvert la bouche pour la première fois de la soirée :

— Calme-toi, Irène.

— Toi, ne t'en mêle pas ! a lancé maman.

J'ai eu pitié de Bob, tout d'un coup.

Nous sommes arrivés au poste de police. C'était un édifice énorme qui abritait la principale division desservant toute la ville de Vancouver. Bob s'est garé dans la rue et nous sommes descendus. Amanda était tellement fâchée qu'elle en tremblait :

— Je commence à comprendre pourquoi votre fils a tant de difficulté à vous dire la vérité, madame Bukowski : peu importe ce qu'il vous dit, n'est-ce pas ? Vous croyez toujours ce que vous voulez bien croire.

Elle m'a ensuite regardé :

— Bonne chance, Ambroise, parce que je me rends compte que tu en auras grand besoin.

Elle s'est dirigée à grands pas vers le quartier général, seule.

Je n'étais jamais entré dans un poste de police. Tout ce que j'en connaissais, je l'avais vu dans des reprises de l'émission *La loi et l'ordre* quand nous habitions à Regina.

La réalité était tout autre. Le bâtiment était beaucoup plus animé, mais vaste et éclairé. Il s'en dégageait une atmosphère d'efficacité et de professionnalisme.

Nous nous sommes assis sur des chaises en plastique moulé, dans une grande salle d'attente éclairée par des néons. Pour se changer les idées, il n'y avait que des magazines périmés. C'était plein de gens de tous les milieux. Je pense que j'ai vu une dame qui était en fait un homme, mais je n'en suis pas sûr.

Un gentil policier en uniforme, dont la plaque portait le nom de Sergent James est venu me chercher. Ma mère a insisté pour nous accompagner. Il nous a emmenés dans un petit bureau vitré d'où l'on voyait bien l'animation qui régnait dans le poste. Monsieur Acheson est resté dans la salle d'attente, mais j'ai l'impression qu'il voulait s'en aller.

— Tu dis que tu étais sorti avec l'un des hommes impliqués dans l'altercation, n'est-ce pas ?

Le sergent James prenait ma déposition et je dois admettre que je me sentais important.

— Oui, Cosmo Economopoulos. J'ai passé la journée avec lui.

Maman a eu le souffle coupé :

— Seigneur !

— À un tournoi de scrabble. J'ai remporté six de mes huit parties.

— Félicitations, a dit le sergent James en ignorant le regard assassin de ma mère.

— Puis on est allés souper au restaurant Milestone's sur la 4ᵉ Avenue Ouest. C'était délicieux, en passant. Je vous recommande fortement les fettuccinis Alfredo, si jamais vous y allez. Il n'y a pas d'arachides, ai-je précisé pour rassurer maman.

— Merci du conseil. Qu'est-ce qui s'est passé quand vous êtes arrivés à la maison ?

— Il y a un ami de Cosmo, plutôt un ancien ami, Silvio, qui l'attendait avec deux hommes costauds.

— Avais-tu déjà vu ce Silvio ?

— Oui, quelques fois.

— *Quoi ?*

Ça, c'était ma mère.

— Madame Bukowski, s'il vous plaît. Peux-tu me parler des autres fois ?

— Alors, un jour, je l'ai entendu réclamer à Cosmo de l'argent qu'il lui avait prêté. Et une autre fois, je ne l'ai pas vu, mais quelqu'un avait lancé une pierre dans la fenêtre à l'avant de la maison de Cosmo, et on était presque sûrs de savoir qui avait fait ça. Il envoyait un message.

Ma mère a cessé de respirer quelques secondes :

— Tu m'avais dit que c'étaient des jeunes du quartier ?

— On ne voulait pas vous inquiéter, les Economopoulos et toi.

— Qui ça, *on* ?

Je savais dans quel tas de vous-savez-quoi j'allais me trouver plus tard, mais j'étais plutôt à l'aise de devoir répondre à toutes ces questions. D'être le centre d'attention. C'est comme si j'étais l'invité d'une émission de télévision, et que quelqu'un s'intéressait vraiment à ce que je racontais. En plus, je parlais à un policier et je me sentais dans l'obligation de lui dire la vérité. Et même si ma maman était assise à côté de moi, c'était plus facile de regarder l'agent dans les yeux pour tout lui raconter, que de m'adresser à ma propre mère.

— Et la deuxième fois ?

J'ai hésité :

— Il est venu frapper à la porte chez nous un soir, pendant que ma mère était au travail.

— Oh mon Dieu, oh mon Dieu, oh mon Dieu ! a marmonné maman en se balançant sur sa chaise.

— T'a-t-il menacé ?

— Plutôt, oui. Il a découvert que je n'étais pas le neveu de Cosmo.

Ma mère hurlait presque :

— Cosmo faisait semblant d'être ton oncle ?

Je me suis adressé au sergent :

— Non, non, c'est seulement quelque chose que j'avais dit à Silvio la première fois où je l'avais vu, pour qu'il nous laisse tranquilles et pour que Cosmo m'emmène en voiture au club de scrabble, voyez-vous ? Il ne voulait pas y aller, même s'il aime jouer au scrabble lui aussi. Il fallait que je le convainque. Mais là-bas, il a rencontré Amanda, qui fait une déposition à votre collègue, je crois, et il en est devenu complètement gaga, alors après, je n'avais plus besoin de le persuader d'y retourner.

— Combien de fois es-tu monté avec lui? a demandé maman.

— Dix, vingt peut-être? ai-je répondu en haussant les épaules.

Elle s'est liquéfiée sur sa chaise en gémissant. Le policier a essayé de reprendre le contrôle de l'interrogatoire.

— Donc, ce Silvio t'a menacé.

— Genre. Je veux dire, pas par ses paroles, mais plutôt dans sa manière de présenter les choses. Il m'a dit de passer le message à Cosmo qu'il devait tout lui rembourser rapidement, sinon...

— Donc, Cosmo devait de l'argent à Silvio.

— Ouais. Voyez-vous, ces deux-là travaillaient ensemble quand Cosmo était un drogué et un voleur. Ils étaient amis à l'époque. Silvio a prêté de l'argent à Cosmo — deux mille dollars — et avant que Cosmo puisse le rembourser, il a été arrêté après avoir trébuché sur un labraniche, mais, quand il est sorti de prison, Silvio voulait encore son argent, même si c'est Cosmo qui a payé pour lui en quelque sorte, parce que Silvio devait participer lui aussi à l'opération dans la maison du labraniche. Mais Cosmo n'avait pas d'argent parce qu'il était en prison, voyez-vous, et puis quand il est sorti au début, il était paresseux. Puis il a trouvé du travail, mais il n'avait pas beaucoup de boulot pour commencer, alors il ne gagnait pas beaucoup d'argent et il essayait de rembourser Silvio petit à petit, mais ce n'était pas assez rapide pour Silvio.

Ma mère a caché son visage dans ses mains.

— Mais Cosmo aurait pu lui trouver l'argent, j'en suis sûr. Il aurait pu l'emprunter à ses parents ou à Amanda. Elle a proposé de lui prêter la somme ce soir, en fait, et moi je lui ai offert ma collection de 25 cennes qui était censée servir à payer mes études.

— Tu as fait ça ? a dit ma mère, la tête toujours cachée dans ses mains.

— Non, parce que Cosmo a refusé. Et il a aussi refusé l'offre d'Amanda. C'est ça, l'affaire : c'est un gars très honorable.

Ma mère s'est exclamée :

— Honorable ? Quel genre d'homme « honorable » se lierait d'amitié avec un garçon de douze ans ?

— Maman, ce n'est pas un maniaque sexuel.

Elle s'est adressée au policier :

— Je veux que vous arrêtiez cet homme pour... pour enlèvement de mineur... pour tout ce qu'il a dans son cerveau malade.

— Maman !

Elle s'est tournée vers moi :

— Est-ce qu'il t'a touché ? Est-ce qu'il t'a dit des choses ? Est-ce qu'il t'a pris en photo ?

— Maman, arrête ! C'est un bon gars. Il est mon meilleur ami.

Ma mère s'est adressée de nouveau au policier :

— Aidez-moi, sergent, je vous en prie.

Le sergent James a haussé les épaules :

— Rien de ce que raconte votre fils ne me porte à croire...

Ma mère l'a fusillé du regard. Il a alors ajouté :

— Mais si vous insistez, je peux lui poser quelques questions de routine.

— Vous ne pouvez pas faire ça ! me suis-je exclamé. C'est insultant ! Maman, pourquoi tu doutes de ce que je dis ? Pourquoi tu ne me crois pas sur parole ?

Elle m'a fixé avec des yeux pleins de méchanceté :

— Tu me demandes pourquoi je ne crois rien de ce que tu racontes ? Tu as le culot de me demander ça, après tout ce que je viens d'entendre ici ?

Elle venait de marquer un point.

— Je pense que c'est tout pour l'instant, a dit le policier en se levant pour nous indiquer que l'interrogatoire était terminé. Je devrais peut-être te poser d'autres questions plus tard, mais pour le moment, tu es libre.

— Et Cosmo ?

— Il passera la nuit en détention.

— Mais ce n'est pas de sa faute !

— C'est la procédure.

— Allez-vous appeler un médecin ? Ces gars-là lui ont vraiment fait mal.

— Ne t'inquiète pas. On s'en occupe.

— Viens, Ambroise, a dit maman.

— S'il vous plaît, ne l'accusez de rien. Tout ce qu'il veut, c'est mener une vie normale.

— Tout de suite, a dit ma mère avec fermeté.

Elle m'a saisi le bras et m'a amené vers Bob qui était assis coincé entre deux femmes ressemblant beaucoup à des prostituées, si vous voulez mon avis. Amanda avait disparu.

Je crois avoir vu le sergent m'adresser un salut de sympathie à notre départ.

Bob nous a déposés et est reparti aussitôt. Maman n'avait pas été particulièrement gentille avec lui dans l'auto en lui lançant des paroles comme « Ne mets pas ton nez dans ce qui ne te regarde pas » et même « Ferme-la, Bob », même si c'est interdit de dire une chose pareille chez nous.

La Ford Escort des Economopoulos était garée à l'avant. Pendant que nous marchions dans l'allée, ils sont sortis, vêtus de leur tenue de danse.

— Cosmo vient de nous appeler. Il est au poste de police.

— Je sais, nous y étions aussi. J'ai vu tout ce qui s'est passé, ai-je expliqué.

Madame Eco a écarquillé les yeux :

— Et toi, ça va ?

— Non, ça ne va pas, a répondu froidement ma mère.

— Je vais bien, ai-je répliqué.

— Votre fils a eu une influence désastreuse sur le mien, a dit maman.

— Pas du tout, ai-je protesté.

— Ambroise, rentre à la maison. Tout de suite.

Ma mère m'a attrapé par le bras pour m'entraîner.

— Allons voir Cosmo maintenant, a dit monsieur Eco.

— Mon bébé, a gémi madame Eco en se tamponnant les yeux avec un mouchoir.

— Bébé mon cul, a marmonné maman, ce qui, malgré les circonstances, était extrêmement méchant.

— Ce n'était pas la faute de Cosmo, ai-je crié pendant que nos propriétaires montaient dans leur voiture et sortaient de l'entrée de garage.

Et là, je l'ai aperçu.

Mon trophée de la Recrue de l'année, à l'endroit où se trouvait le pneu avant gauche de l'Escort. La petite coupe argentée était écrasée en millions de morceaux.

— Qu'est-ce que c'est ? a demandé maman.

— Rien.

J'ai ramassé les débris et je les ai lancés dans les buissons.

26

L E L E B R E

bel, elle, blé, belle, réel

REBELLE

Quand nous sommes rentrés, maman m'a demandé de lui raconter absolument tout. Comme j'avais révélé le pire au poste de police, je me suis dit qu'il fallait aller jusqu'au bout. Alors, j'ai vidé mon sac, du début à la fin. D'une part, je me sentais soulagé de me libérer de ce poids, parce que je n'avais pas l'habitude de lui cacher tant de choses. D'autre part, je n'étais pas assez stupide pour imaginer que mon honnêteté tardive rendrait tout acceptable d'un coup.

Quand j'ai eu terminé, elle s'est tue un long moment.

— Je n'arrive pas à croire que tu m'as menti comme ça. À répétition.

Je ne savais pas quoi répondre. « Excuse-moi » me semblait bien faible.

— Tu ne me cachais jamais rien avant. On se disait tout. Puis, on a déménagé à Vancouver et, pour une raison qui m'échappe, tout a changé.

C'est comme si elle se parlait à elle-même plus qu'à moi. Je n'ai pu m'empêcher de réprimer un énorme bâillement. Il était une heure du matin, et la journée avait été longue.

— Tu es épuisé. On reprendra la discussion demain.

Elle s'est levée et m'a tendu la main pour m'aider à me redresser.

Je me suis couché dans mes draps Buzz Lightyear et j'ai fixé les étoiles phosphorescentes au plafond.

Puis, j'ai regardé mon papa sur la photo et je lui ai chuchoté :

— Je suis désolé de t'avoir déçu.

Je savais que je ne fermerais pas l'œil de la nuit.

J'ai aperçu les rayons du soleil pénétrer par la fenêtre du sous-sol. Mon réveille-matin affichait onze heures. J'avais dormi comme une bûche durant dix heures.

Ma mère n'était pas dans le salon. Elle ne se trouvait pas non plus dans sa chambre. J'ai senti la panique m'envahir et je l'ai appelée en criant comme si j'avais cinq ans, dans mon pyjama à motifs de fusée, qui était maintenant beaucoup trop petit et troué au niveau de mon vous-savez-quoi.

Elle est revenue juste après. J'étais soulagé, mais ce fut de courte durée, parce que j'ai remarqué son air sinistre lorsqu'elle m'a adressé la parole :

— Ah, tu es déjà levé.

— Tu étais sortie faire des courses ?

Elle a secoué la tête :

— J'étais en haut, chez les Economopoulos.

— Cosmo est-il rentré ? Est-ce qu'il va bien ?

Ma mère s'est mise à ranger des objets sans raison, à déplacer un coussin de deux centimètres ou à soulever une plante en pot pour la reposer aussitôt au même endroit :

— J'ignore comment il se porte et je m'en fiche. Je suis allée voir les proprios pour leur donner mon préavis.

Mon cœur s'est serré. Je savais ce que voulait dire « donner un préavis » parce que maman l'avait fait à répétition : à Calgary, à Edmonton, à Regina et à Kelowna. Ça voulait dire qu'on partait.

— Où on s'en va?

— Ils ont besoin de chargés de cours en littérature à l'Université du Manitoba, à Winnipeg.

— Winnipeg?

— Qui sait? Peut-être que cette fois j'aurai de la chance et qu'on m'offrira un poste à temps plein? m'a-t-elle dit avec un brin d'espoir.

— Mais pourquoi?

— Ça m'étonne que tu oses me poser la question.

— Et Bob? Je pensais que tu l'aimais bien.

— Ton bien-être est beaucoup plus important pour moi que n'importe quel homme.

— Maman, s'il te plaît! Mon bien-être n'a jamais été aussi bien. Je suis désolé d'avoir menti, incroyablement, énormément désolé, mais je ne veux plus déménager.

— Ce que tu veux, ça ne compte pas, Ambroise. De toute évidence, je ne peux pas avoir confiance en toi, tu n'es pas capable de prendre seul des décisions raisonnables, alors je dois les prendre pour nous deux.

— Mais j'ai des amis ici, de vrais amis. Pas seulement Cosmo et Amanda, mais aussi tous les gens du club de scrabble.

— Ambroise, ces personnes ne sont pas tes amies. J'ai déjà vu un documentaire sur les membres de ces clubs, et la plupart du temps, ce sont des inadaptés sociaux.

— Tu ne les connais même pas! Et ça ne t'a jamais traversé l'esprit que je suis moi-même un inadapté social?

— Ne dis pas ça.

— Chaque fois qu'on s'installe dans une autre ville et que je dois recommencer à neuf, je m'adapte moins bien que la fois précédente. Mais ici, enfin, j'ai rencontré des gens qui m'acceptent comme je suis et je m'en fiche qu'ils soient plus vieux que moi ou différents.

— Eh bien, moi ça me dérange...

J'ai crié :

— Tu sais ce que je pense ? Je pense que tu aimes ça quand je n'ai pas d'amis parce qu'alors, je n'ai que toi au monde et c'est seulement toi et moi contre le monde entier. Et peut-être que c'est pour ça que tu veux qu'on déménage encore, parce que je suis enfin heureux, maman, je suis heureux ! Mais peut-être que tu préfères que je me sente misérable comme toi, alors on va passer notre temps à déménager et dans vingt ans, je serai un nul qui vit encore à la maison avec sa maman. Et c'est peut-être aussi ça que tu veux, parce que c'est ta seule façon d'avoir une partie de papa à toi, pour toujours.

Je pleurais à chaudes larmes et je devais avoir l'air complètement pathétique dans mon pyjama à fusées avec un testicule sortant par le trou, mais ça ne me faisait rien. Puis, j'ai vu que ma mère pleurait elle aussi :

— C'est terrible ce que tu dis.

Ça l'était peut-être, mais je n'ai pu m'empêcher de dire ce que je pensais. Les mots sortaient, des mots qui étaient là, cachés depuis longtemps, trop longtemps :

— Je pense que tu es si habituée à être malheureuse que c'est plus facile pour toi de rester comme ça. C'est plus facile de ne plus faire confiance à personne, de rester seule et de boire trop de vin tout le temps. Et je suis désolé pour papa parce que ça doit le rendre tellement triste de voir comme tu es devenue une vieille vache pleine d'amertume.

Elle m'a giflé avec force.

J'allais me précipiter vers la porte pour sortir, mais même si je n'avais jamais été aussi bouleversé de toute ma vie, j'avais assez de bon sens pour me souvenir a) que j'étais en pyjama et b) qu'on pouvait voir une de mes couilles. Je me suis donc précipité dans ma chambre, ce qui n'a pas produit l'effet dramatique voulu puisque les rideaux de billes ne claquent pas.

Je m'attendais à ce que ma mère vienne me rejoindre et s'excuse pour la gifle parce qu'elle ne m'avait jamais, jamais tapé, mais j'ai entendu la porte avant s'ouvrir et se refermer.

Je me suis levé quelques minutes plus tard. Elle avait laissé une note dans le salon : « Sortie me changer les idées. De retour dans une heure. » Elle avait ajouté des XX en bas parce qu'on s'était juré il y a des années de ne jamais partir fâchés.

J'ai longuement regardé son message, puis je suis retourné dans ma chambre. J'ai enfilé mon pantalon mauve et un tee-shirt. J'ai mis deux caleçons, une paire de chaussettes, un tee-shirt, un imperméable et mon livre de bibliothèque dans le sac à dos que j'utilisais pour l'école. J'ai essayé d'ajouter le chandail de mon père, mais comme il n'entrait pas, je l'ai noué autour de ma taille.

Puis je suis allé à la cuisine, et j'ai utilisé pratiquement la moitié d'un pain à l'épeautre pour me préparer des sandwiches au fromage. J'ai rempli une bouteille d'eau que j'ai glissée dans un compartiment sur le côté. J'ai mis mon EpiPen dans la deuxième poche extérieure. J'ai trouvé un vieux sac de couchage dans la penderie, et je l'ai fourré dans un sac en toile.

J'étais sur le point de sortir lorsque j'ai pensé à trois autres choses.

J'ai pris notre jeu de scrabble sur l'étagère et je l'ai rangé dans le sac en toile. Je suis allé récupérer ma collection de

25 cents sous le lit. J'en ai mis le plus possible dans un compartiment à l'intérieur de mon sac à dos. Enfin, j'ai délicatement inséré mon cadre avec la photo de mon père entre le scrabble et mon sac de couchage.

Ensuite, j'ai chaussé mes Reebœrk et je suis parti en prenant soin de fermer à clé.

J'ai déposé mes sacs derrière l'arbre où s'était caché Silvio la veille, puis j'ai frappé chez les Economopoulos. Madame Eco a ouvert la porte. Elle avait pleuré. Je me suis presque jeté sur elle et nous nous sommes enlacés un long moment. Elle m'a dit :

— Oh, Ambroise ! Tu vas tellement me manquer !

— À moi aussi.

J'ai pleuré un peu pendant qu'elle me serrait, puis j'ai demandé si Cosmo était de retour.

— Pas encore. Il semble bien, mais je m'inquiète.

— Ça ira. Il n'a rien fait de mal.

Elle a hoché la tête et a dit en se mouchant :

— Oui, mais parfois, quand quelqu'un a déjà mal agi, les gens pensent qu'il va recommencer.

— N'oubliez pas qu'il y avait des témoins : Amanda et moi.

— Elle m'a téléphoné ce matin. C'est une si bonne fille. Et toi aussi, tu es un bon garçon.

Je lui ai dit que je la reverrais un jour. Elle a fermé la porte, j'ai récupéré mes sacs derrière l'arbre, puis j'ai marché jusqu'à l'arrêt d'autobus à l'angle de Bayswater et de la 4e Avenue Ouest. Quelques minutes plus tard, je suis monté dans l'autobus numéro quatre.

Je ne savais pas où aller. Je ne savais pas quoi faire. Je savais simplement que je ne déménagerais plus. Si ma mère tenait tant à changer de ville, elle devrait partir sans moi.

27

rue, gué, fer, feu, féru, fugue

FUGUEUR

Ce n'était pas facile de trouver un endroit où aller. Je ne disposais pas vraiment d'une bande d'amis chez qui me réfugier. Cosmo était toujours en prison. Amanda risquait d'être encore fâchée et même si ce n'était pas le cas, elle se sentirait probablement obligée d'appeler ma mère. J'ignorais où vivaient Mohammed et Joan, mais de toute façon, je ne pouvais pas vraiment leur demander d'héberger un fugueur.

Je devais me rendre à l'évidence : si je m'enfuyais, je devais le faire seul.

Je savais que je ne voulais pas me retrouver au centre-ville avec les autres jeunes sans-abri de la rue Granville parce que je les avais vus avec ma maman quand nous avions visité le quartier. Ils étaient violents et se tenaient en bande. Beaucoup d'entre eux avaient des chiens, des perçages et des tatouages sur le corps, tandis que moi, j'avais des bobettes de Spiderman et un jeu de scrabble dans mon sac. Il me semblait que ça n'allait pas bien ensemble.

Je pouvais prendre un autocar Greyhound vers une autre ville de la Colombie-Britannique ou en direction de Calgary pour rejoindre Nana Ruth, mais ça irait à l'encontre de mon objectif, qui était de demeurer à Vancouver.

Puis j'ai eu une idée, géniale en plus. Je suis descendu de l'autobus après cinq ou six arrêts.

J'irai vivre sur une île.

L'île Granville.

À quinze minutes en autobus de la maison.

28

rue, rua, ka, eue, eau, ara, aura

EURÊKA !

Je suis descendu de l'autobus et j'ai marché sur la route qui passe sous le pont de la rue Granville pour me rendre sur l'île. Il n'était qu'une heure de l'après-midi, j'avais donc beaucoup de temps à tuer. Par chance, il faisait beau. J'ai passé quelques heures sur un banc près de l'eau. J'ai mangé deux de mes sandwiches au fromage, j'ai lu *Sang d'encre* et j'ai sommeillé au soleil. Puis, j'ai utilisé une poignée de pièces de 25 cents pour payer mon entrée au musée du train miniature. Je n'y étais allé qu'une fois, mais c'est un endroit formidable, particulièrement la pièce entière réservée à une piste de train électrique. Le gardien n'a pas semblé se formaliser du fait que je reste longtemps, et il a pris le temps de me décrire tous les différents modèles réduits de bateaux et d'avions qui étaient exposés.

Le reste de l'après-midi et de la soirée, j'ai regardé les numéros des amuseurs publics. Il y avait même un avaleur de sabres et un excellent magicien qui m'a demandé de l'assister pour un numéro. Je me sentais bien au milieu des promeneurs et des touristes qui profitaient de leur dimanche même si, en toute honnêteté, mes sacs me pesaient, surtout à cause de mes pièces de monnaie.

Comme nous étions à la mi-mai, il faisait clair jusqu'à presque dix heures, mais quand l'obscurité est tombée, l'atmosphère a changé du tout au tout sur l'île. Je ne me sentais pas en danger, seulement... seul, même s'il y avait pas mal de gens dans les restaurants et les salles de spectacle.

Par contre, vers minuit, après le départ de la plupart des visiteurs, j'ai eu à nouveau l'impression de n'être qu'une minuscule poussière dans l'univers. Je ne me sentais ni angoissé ni déprimé, mais j'éprouvais simplement un sentiment profond et sincère qui me rendait mélancolique. Je me suis assis sur le bord de l'eau et j'ai admiré les lumières scintillantes qui provenaient des édifices du centre-ville. J'ai imaginé tous ces gens qui continuaient à vivre leur petit train-train dans ces immeubles et j'ai pensé à ma maman qui se rongeait probablement d'inquiétude. Je me suis donc dirigé vers un téléphone public près du centre d'information, et j'ai utilisé deux de mes pièces pour appeler à la maison.

Elle a répondu avant la fin de la première sonnerie:

— Ambroise? a-t-elle dit, la voix pleine d'angoisse.

— Bonsoir maman.

— Oh, Dieu merci, c'est toi! Où es-tu?

— Je ne peux pas te le dire.

— Est-ce que quelqu'un te force à dire ça? Tu n'as qu'à répondre oui ou non.

— Je suis seul, maman.

— Alors laisse-moi venir te chercher. On pourra parler...

J'ai raccroché parce que j'avais vu assez de films pour savoir que la police aurait pu retracer mon appel s'il dépassait quelques secondes. Je me suis rendu au parc aquatique, qui n'avait pas encore ouvert pour l'été. J'ai songé à installer mon sac de couchage sous les buissons pour la nuit, mais j'ai aperçu un groupe de sans-abri avec leurs chariots d'épicerie. Ils avaient monté un campement à proximité. Même s'ils étaient probablement inoffensifs, comme Pasteur Paul, je ne voulais prendre aucun risque.

J'ai traversé l'île, j'ai dépassé l'Université Emily Carr et je suis allé jusqu'à l'hôtel Granville Island. Si j'avais la chance de séjourner à l'hôtel dans ma propre ville, je choisirais celui-ci parce qu'il se trouve hors des sentiers battus. Il semble sympathique et tranquille, peut-être parce qu'il n'est pas très haut. Je me suis faufilé à l'intérieur pendant que le portier accompagnait des clients à leur voiture. Je me suis glissé avec mes sacs dans les toilettes situées dans un couloir à l'écart et je me suis enfermé dans une cabine. J'ai baissé le couvercle de la cuvette et je me suis installé du mieux que je pouvais, en m'enveloppant dans mon sac de couchage comme dans une couverture. Puis, j'ai posé la photo de mon père sur le réservoir.

Je lui ai dit :

— J'aimerais que maman se souvienne de la blague qu'elle était en train de te raconter et qui t'a tant fait rire.

Ensuite, j'ai fermé les yeux en essayant de chasser la peur, prêt à passer la nuit dans la cabine.

Je ne recommanderais à personne de dormir sur une cuvette. Je me suis réveillé souvent et j'avais mal partout. Vers six heures, j'ai entendu la porte de la salle de bains s'ouvrir violemment. J'ai aperçu un chariot, suivi des pieds de la femme de ménage. Elle chantonnait. Je me suis penché sous la porte pour jeter un coup d'œil. C'était une dame corpulente à l'air joyeux qui portait un iPod. Elle ne semblait pas avoir remarqué que j'occupais la cabine du fond. Lorsqu'elle est entrée dans la première toilette pour nettoyer, je me suis précipité à l'extérieur en empoignant mon sac à dos, mon sac de toile et la photo de mon père, le sac de couchage sur les épaules comme un super-héros revêtu de sa cape. Je suis sorti de l'hôtel, presque certain que personne ne m'avait vu.

Première opération réussie dans ma nouvelle vie de fugitif.

J'ai mangé deux autres sandwiches et j'ai rempli ma bouteille d'eau à une fontaine du parc. À 6 h 50, j'ai utilisé le même téléphone public que la veille pour appeler, cette fois, les Economopoulos.

— Ambroise ? Ta maman est folle d'inquiétude, a répondu madame Eco.

— Est-ce que Cosmo est rentré ?

Il a pris l'appareil :

— Ambroise, espèce d'imbécile ! Où es-tu ?

— Est-ce qu'ils t'ont accusé de quelque chose ?

— Non, j'ai eu un avertissement seulement.

— Et Silvio ?

— Il avait des mandats d'arrestation en suspens. Ils le gardent jusqu'à ce que la date de son procès soit fixée.

— C'est bon.

— Dis-moi où tu es maintenant.

— Je ne peux pas.

— Ta mère perd la tête.

— Je ne veux pas déménager.

— Je sais.

— Je dois raccrocher maintenant, au cas où vous tenteriez de retracer mon appel.

— Ambroise, tu regardes trop la télé...

J'ai raccroché.

Je me suis rendu au marché qui s'animait déjà, même s'il n'était que sept heures. Les maraîchers étalaient les fruits et les légumes, les camionneurs livraient le poisson et je sentais l'arôme du pain et des biscuits en train de cuire. Tout ça m'a à nouveau creusé l'appétit, alors je me suis assis au bord de l'eau pour manger mon avant-dernier sandwich.

Lorsque le marché a ouvert officiellement à huit heures, je me suis caché dans les toilettes publiques pour compter cinq dollars en pièces de 25 cents que j'ai mises dans mes poches. Je me suis rendu à la boulangerie et après avoir fait jurer-cracher au vendeur qu'il n'y avait aucune trace d'arachides dans quoi que ce soit, j'ai acheté un énorme muffin aux bleuets et un gigantesque biscuit aux brisures de chocolat puisque ma mère n'était pas là pour me l'interdire. J'ai pris la monnaie et je suis sorti.

En mangeant, j'évaluais mes options. Je savais que la cinquantaine de dollars qui me restait ne durerait pas longtemps, même si je n'avais que de la nourriture à acheter. Voler, ce n'est pas mon genre et j'aurais pu me faire arrêter. J'ai pensé fouiller dans les poubelles et les bennes à ordures, mais ça me levait le cœur et j'aurais même pu en mourir à cause de mon allergie.

Si je ne pouvais ni voler ni récupérer les aliments au rebut, il ne me restait qu'une option. Je devais gagner de l'argent, et donc me trouver du travail.

Je suis retourné au marché pour offrir mon aide à droite et à gauche. Les marchands ont ri de moi ou m'ont simplement ignoré. En voyant mes sacs, un type a douté de moi et m'a demandé où étaient mes parents.

— Ils font les courses, ai-je menti. Tiens, les voilà.

J'ai fait semblant d'aller rejoindre un couple qui déambulait puis je suis sorti. J'étais coincé. *Comment pourrais-je gagner de l'argent si je ne trouvais pas de travail?*

Puis, j'ai aperçu mon jeu de scrabble qui dépassait de mon sac de toile.

Une ampoule s'est allumée dans mon cerveau. J'ai eu — si j'ose dire — un éclair de génie.

29

S₁ I₁ N₁ O₁ C₃ E₁ C₃

soin, icône, cônes, noces, once, coi, coin, cons

COINCÉS

À onze heures, le marché grouille de monde, même le lundi. À l'arrière, face à l'eau, un magicien s'était installé devant deux portes et un violoniste devant une autre entrée. La foule se rassemblait pour regarder leurs numéros.

J'ai déposé mon plateau de scrabble sur un banc inoccupé entre les deux. Puis, j'ai écrit quelques lignes sur un morceau de carton trouvé dans un bac de recyclage : « PARTIE DE SCRABBLE, 5 $, SI VOUS ME BATTEZ, JE VOUS REMBOURSE ! »

Comme je n'avais nul endroit où accrocher mon écriteau, je le tenais au-dessus de ma tête. Beaucoup de passants ont ri gentiment en me voyant ainsi. Après environ une demi-heure, au moment où je commençais à avoir mal aux bras, un homme dans la cinquantaine accompagné d'une jeune fille s'est arrêté. Il portait un képi de marin. Il m'a demandé :

— Alors tu crois pouvoir battre un vieux pro comme moi ?

— Oui.

— On verra bien, n'est-ce pas, Ashley ? a-t-il dit en lui remettant un billet de cinq dollars. Garde ça, au cas où le minus essaierait de nous rouler.

Nous avons joué une partie. Les passants s'arrêtaient pour nous observer, surtout lorsqu'il n'a fait aucun doute que j'écrasais mon adversaire. J'aurais juré avoir vu battre une veine sur son front à mon deuxième scrabble, ou lorsque je lui ai bloqué des cases payantes ou quand j'ai formé plusieurs mots en un seul tour.

J'ai remporté la partie 320 à 252.

— Simple chance du débutant, a dit mon adversaire en se levant pour partir.

— Hé ! Votre fille doit me donner mes cinq dollars.

J'ai cru que la veine de son front allait exploser lorsqu'il m'a lancé :

— Ce n'est pas ma fille, c'est ma petite amie.

Ashley m'a remis mon billet. Il l'a prise par le bras et ils sont partis rapidement. Quelques passants ont ri et certains m'ont donné des pièces de un dollar. Une femme a dit :

— Hé, je te reconnais toi, la Recrue de l'année !

C'était Sandy, la serveuse du restaurant Milestone's, qui profitait d'une journée de congé avec des amis. C'est peut-être parce qu'elle ne cherchait pas à faire de pourboires, mais elle avait caché ses seins de rêve sous un chemisier ample. J'étais tout de même content de la voir et elle m'a remis cinq dollars sans même jouer. Le plus important, c'est qu'elle ne m'ait pas demandé avec qui j'étais, ni pourquoi je traînais deux gros sacs.

On ne peut pas dire que je faisais des affaires en or, mais à trois heures de l'après-midi, j'avais joué trois parties que j'avais remportées haut la main. J'avais gagné vingt dollars, en comptant le don de Sandy, plus quelques billets de cinq dollars et les pièces données par les passants. Alors que je comptais mon pécule en me disant que je n'aurais pas trop de difficulté à gagner ma vie d'itinérant, un policier s'est approché de moi.

— Hé, mon gars, tu t'amuses bien !

— Oui, merci.

— As-tu un permis ?

— Un permis de quoi ?

— D'exploitation commerciale.

— Ce n'est pas un commerce, c'est un jeu de société.

— Tous les amuseurs publics, comme le magicien et le violoniste là-bas, doivent obtenir un permis de la Ville pour se produire dans un lieu public.

— Je ne me produis pas.

— Non, mais donner un spectacle sans permis est un délit moins grave que le jeu, ce que tu es techniquement en train de commettre.

— Justement, c'est seulement un jeu.

— Mais tu joues pour faire de l'argent.

J'ai rapidement fourré mes gains dans ma poche.

— Écoute, je ne veux pas te causer de problèmes, mais je suis obligé de te demander de ramasser tes affaires.

J'ai répondu « oui » quand je me suis rendu compte que ça ne donnerait rien de discuter avec lui.

— Tes parents savent ce que tu es en train de faire ?

— Oui.

— Eh bien, ils ont un jeune fils qui a le sens de l'initiative ! a-t-il ajouté en riant.

J'ai rangé mon jeu de scrabble et j'ai serré la main de l'agent.

Je me suis ensuite déplacé à l'autre extrémité du marché, vers un square face à un édifice appelé le Loft, pour m'installer sur un autre banc avec ma planche de jeu et mon écriteau.

Le même policier m'y a retrouvé moins d'une demi-heure plus tard, alors que j'étais au beau milieu d'une partie contre un type costaud qui aurait pu être lutteur professionnel. Cette fois, l'agent n'a pas été aussi sympathique.

— Là, mon gars, tu vas me suivre.

J'ai remballé mes choses. Et même s'il ne faisait aucun doute que j'allais le battre à plate couture, le lutteur ne m'a pas donné mes cinq dollars.

Le policier m'a amené à un petit bureau près du centre d'information. J'étais résigné à subir toutes sortes de techniques d'interrogatoire, mais j'étais déterminé à ne pas craquer. Il aurait bien pu me tabasser, me menacer, m'empêcher de dormir ou m'imposer le supplice chinois de la goutte d'eau, je n'aurais pas parlé plus qu'une pierre ne saigne.

Ma volonté de fer a cédé au bout d'à peine cinq secondes lorsqu'il m'a demandé :

— Quel est le numéro de téléphone de tes parents ?

Et je le lui ai donné. Enfin, presque. Lorsqu'on a répondu au numéro que je lui avais fourni, le policier a dit :

— Cosmo Economopoulos ? J'ai votre fils Ambroise avec moi ici.

Une minute plus tard, il a raccroché.

— C'est bon, mon grand. Ton papa arrive.

Cosmo est arrivé trente minutes plus tard. Il semblait encore plus mal en point que la dernière fois que je l'avais vu, parce que les ecchymoses étaient en train de changer de couleur, sans compter sa lèvre enflée et son œil au beurre noir.

— Ambroise, m'a-t-il dit en me serrant très fort contre lui, nous étions morts d'inquiétude.

Voyant le policier qui observait son visage tuméfié, il lui a expliqué :

— Un accident de pêche. C'est le poisson qui a gagné.

Après m'avoir prévenu de ne plus jamais solliciter de joueurs sur l'île Granville, l'agent nous a laissés partir. Nous nous sommes dirigés vers la voiture de Cosmo.

— Un accident de pêche, hein ?

— C'est la première chose qui m'est venue à l'esprit.

— Merci d'être venu me chercher.

— Je ne te mentirai pas, Ambroise : ta maman nous attend dans l'auto.

J'ai arrêté net :

— Pourquoi as-tu fait ça ?

— Elle était chez nous quand le policier a appelé. Elle devient folle.

— Alors, merci pour rien. Je te verrai plus tard.

Je suis parti dans la direction opposée, mais Cosmo m'a agrippé le bras.

— Ambroise.

J'ai eu les larmes aux yeux malgré moi :

— Je ne veux plus déménager.

— Je le sais et ta maman aussi. Je pense qu'elle est prête à t'écouter.

Nous nous sommes remis en marche. En m'apercevant, ma mère a bondi hors de la voiture et m'a serré si fort que j'ai cru étouffer. Elle avait les yeux rouges et gonflés.

— Dieu merci, tu es sain et sauf.

Elle m'a ensuite mitraillé de questions pour savoir où j'avais couché, ce que j'avais mangé et si quelqu'un avait essayé de me faire du mal.

— Maman.

Elle s'est tue.

— Je reviens à la maison à une seule condition.

— Laquelle ?

— Que tu acceptes de manger avec les Economopoulos ce soir, que tu écoutes tout ce qu'on a à te dire et que tu gardes l'esprit ouvert.

Bon, j'avoue, c'était plutôt trois conditions.

Ma mère a ouvert la bouche pour protester puis, une chose bizarre s'est produite. Cosmo a simplement posé sa main sur son bras. Elle l'a regardé, puis elle s'est retournée vers moi et a dit :

— C'est bon. J'accepte. Maintenant, rentrons chez nous, s'il te plaît.

J'ai trouvé sa demande ironique parce que c'est exactement ce que j'ai toujours souhaité : retourner à un endroit qui serait vraiment chez nous.

30

N₁ **E**₁ **T**₁ **E**₁ **N**₁ **E**₁ **T**₁

nette, née, ente, tentée, tee, néné, nénette

ENTENTE

Le ciel est différent ici : plus bleu, plus vaste. Je le contemple tandis que je file sur l'autoroute avec ma mère, dans une voiture de location.

Nous sommes le 19 juillet. C'est mon treizième anniversaire. Il y a presque deux mois jour pour jour, je m'étais enfui sur l'île Granville. Le soir, à mon retour, nous avions tous mangé chez les Economopoulos où ils nous attendaient avec Cosmo et Amanda. Ils m'ont tous, chacun à leur tour, écrasé sous les étreintes. Quand ils m'ont enfin libéré, je me sentais assommé et fatigué, mais très bien.

Le repas était délicieux. Madame Eco s'était surpassée et je me suis bourré la face d'agneau, de tzatziki, de feuilles de vigne farcies, de salade, de pommes de terre grillées au citron et de ses fameux baklavas sans arachides.

La conversation était plutôt agréable. Il y a eu des hauts et des bas, mais ma maman a vraiment écouté ce que j'avais à dire. Je lui ai répété combien j'étais heureux dans notre appartement à Vancouver. Je lui ai dit à quel point j'aimais le scrabble et les Economopoulos, surtout Cosmo qui m'avait enseigné des choses que je devais savoir, que cela lui plaise ou non :

— Comme apprendre à me défendre, apprendre à avoir davantage confiance en moi, même quand je me sens telle une poussière dans l'univers.

Ce que je n'avais pas avoué, par contre, c'était que grâce à Cosmo, je songeais sérieusement à me débarrasser de mon pantalon en velours côtelé mauve. Mais il était inutile qu'il le sache, ça risquait de lui monter à la tête.

Je ne mentirai pas : la soirée n'a pas été parfaite. Je devinais que ma mère était loin d'avoir tout digéré. Cosmo a tenté de la rassurer :

— Ambroise est vraiment un enfant spécial, Irène. Il m'a appris des choses à moi aussi. Il a vu en moi un potentiel que je ne soupçonnais même pas. J'ai de la chance de l'avoir comme ami.

Sur ce, madame Eco a éclaté en sanglots. Elle s'est mouchée en faisant un bruit de bernache du Canada. J'ai remarqué que ma mère pleurait aussi :

— Son père était comme lui. Il percevait toujours le bon côté des gens. Il savait déceler le meilleur de chacun.

Amanda a eu elle aussi les larmes aux yeux, même Cosmo a semblé ému. Puis j'ai pensé à mon papa, à la tristesse de ne jamais l'avoir connu et au bout du compte, tout le monde s'est mis à pleurer. Monsieur Eco a dû sortir de table pour regarder la télé dans le salon, parce qu'il ne pouvait plus endurer toutes ces émotions.

Après souper, tous les grands se sont soûlés à l'ouzo. Au début, ils riaient beaucoup, puis l'atmosphère est devenue larmoyante et embarrassante. Maman et Amanda se sont demandé pardon, ce qui m'a paru un brin hypocrite parce que je voyais bien qu'elles ne s'aimaient pas beaucoup. Enfin, à une heure du matin, j'ai dû remorquer ma mère jusqu'à notre appartement. Pendant qu'elle essayait de remettre ses chaussures, elle n'arrêtait pas de dire « Je vous aime, vous savez ? », la bouche toute molle. Elle a fini par rentrer nu-pieds, ses souliers à la main.

Le lendemain matin, elle m'a annoncé que nous ne déménagerions pas à Winnipeg ni nulle part ailleurs. Elle m'a aussi dit que si jamais je quittais à nouveau la maison ou que j'avais recours à une autre stratégie extrême pour obtenir ce que je voulais, elle me couperait en morceaux avant de m'assassiner.

L'idée que c'était une menace en l'air me rassurait.

Il y a encore bien des choses difficiles pour ma maman, comme me laisser aller en voiture avec Cosmo, en qui elle n'a pas encore totalement confiance. Elle m'a demandé de toujours m'asseoir à l'arrière, la ceinture bouclée, du côté du conducteur, parce qu'il semble que c'est le côté passager qui est le plus souvent frappé. J'ai promis de lui obéir, et Cosmo aussi. Je ne peux m'empêcher de remarquer que chaque fois qu'elle le croise, elle le regarde droit dans les yeux pour voir s'il est drogué. Je suis pratiquement sûr que Cosmo a remarqué lui aussi, mais il ne dit jamais rien.

Maman m'a aussi fait promettre de ne pas retourner au centre d'escalade jusqu'à ce qu'elle ait les moyens de m'y emmener, afin de constater par elle-même que c'est sécuritaire. Et lorsque l'on va au restaurant, elle sort son petit laïus sur mon allergie, ce qui m'arrange plutôt bien puisque ça m'évite d'avoir à le faire.

Par contre, elle ne me tient plus la main lorsque nous traversons Broadway, et elle a accepté que je continue à aller aux soirées du club de scrabble. Un jour, elle a même demandé à son amie Jane de donner son cours à sa place pour venir voir. Elle était très fière de moi en me regardant jouer, et encore plus quand d'autres joueurs sont venus lui dire à quel point ils aimaient ma compagnie.

Hier soir (la veille de mon anniversaire), je suis allé à la pharmacie sur Broadway pour m'acheter du déodorant : ma mère et moi avions convenu que je commençais à en avoir besoin. En rentrant chez nous, j'ai pratiquement eu une crise cardiaque lorsque j'ai vu maman, Cosmo, Amanda et les Economopoulos surgir de derrière le canapé en criant : « Surprise ! Bon anniversaire, Ambroise ! » Maman avait cuisiné un énorme gâteau, et monsieur Eco avait préparé des hot-dogs et des hamburgers sur le barbecue. Monsieur et madame Economopoulos m'ont donné cinquante dollars et Nana Ruth m'a envoyé un chèque de vingt dollars, ce qui m'a fait soixante-dix dollars. Amanda et Cosmo m'ont offert un Franklin, une sorte de calculatrice pour scrabble sur laquelle on peut entrer nos lettres et qui nous dit tous les mots que l'on peut faire avec. Il est interdit de l'utiliser pendant une partie, mais c'est un bon outil pour analyser nos jeux après coup.

Pendant que je jouais avec mon Franklin, Amanda a annoncé :

— On a un autre cadeau pour toi.

Elle a sorti de son sac à main un trophée de la Recrue de l'année identique au premier. Je l'ai déposé à la place d'honneur sur ma table de chevet, à côté de la photo de mon papa.

Juste avant de couper le gâteau, Bob est venu. Ma mère et lui ne s'étaient pas vus pendant quelques semaines après le cours de cuisine, mais un soir, je l'ai entendue lui parler au téléphone à voix basse. Je suis presque certain qu'elle s'excusait.

Bob m'avait même apporté un cadeau : un roman intitulé *L'attrape-cœurs*. Bob m'a dit que ce n'était pas un livre sur le baseball, contrairement à ce que je croyais.

Et puis maman m'a offert ceci : un voyage à Calgary. Nous sommes partis tôt ce matin. Quand nous arriverons, nous resterons chez Nana Ruth. Puis, je vais participer au tournoi de scrabble de Calgary auquel maman, Cosmo et Amanda m'ont inscrit il y a des semaines, sans me le dire. Après, nous allons faire du camping dans les Rocheuses. Ma mère a même apporté son appareil pour prendre des photos de la nature. Pour la première fois, je vais voir où mon papa est enterré et, même si ça semble étrange, c'est ce dont j'ai le plus hâte.

— Tu sais, la blague que je racontais à ton père..., a commencé ma mère.

Je l'ai regardée, confus.

— La photo dans ta chambre. Tu me demandes toujours quelle blague je lui avais racontée pour qu'il rie de la sorte.

— Ouais.

— Toc, toc.

— Qui est là ?

— Le lilas est là.

J'ai grogné :

— Tu te moques de moi !

— Non, je te raconte la blague. Joue le jeu.

— Bon. Le lilas est où ?

— Je ne savais pas que tu savais iodler !

— Et papa a ri de ta blague ?

En le disant, je me rendais compte que je riais moi aussi. Ma mère a souri :

— Ton papa et moi, on riait tout le temps. La qualité de la blague n'entrait pas en ligne de compte.

— Alors moi aussi j'ai des blagues de toc-toc pour toi. Toc, toc.

— Toc, toc.

— Qui est là ?

— Jean-Philippe.

— Jean-Philippe qui ?

— J'enfile hyper vite mes bobettes.

Après lui avoir raconté mes dix pires blagues de toc-toc, je me suis retourné pour regarder par la lunette arrière. Cosmo et Amanda nous suivaient dans la Camaro. Ils vont participer au tournoi eux aussi, puis ils rentreront directement à Vancouver pour travailler.

Je fais un signe de la main à Cosmo pour la millionième fois aujourd'hui. Et pour la millionième fois aujourd'hui, il me salue.

T₁ E₁ R₁ E₁ M₂ I₁ N₁

mien, mine, rime, trémie, terme

TERMINÉ